Vélo blues

Catalogage avant publication de Bibliothèque et Archives nationales du Québec et Bibliothèque et Archives Canada

Berthiaume, Daniel, 1956-

Vélo blues : cyclotourisme en Crête, entre mer et montagne

(Les calepins des aventuriers)

ISBN 978-2-923382-54-8

. Berthiaume, Daniel, 1956- - Voyages - Grèce - Crète. 2. Crète (Grèce) - Descriptions et voyages. 3. Cyclotourisme - Grèce - Crète. I. Titre. II. Collection: Calepins des aventuriers.

DF901.C8B47 2011 914.95'90476 C2010-942702-5

Remerciements

Merci à Agnès, pour son appui, pour ses conseils, pour m'avoir laissé tout l'air dont j'ai besoin et pour m'avoir prêté son sac de guidon pour ce voyage !

Bertrand Dumont éditeur inc.
C.P. n° 62, Boucherville
(Québec) J4B 5E6
Tél. : 450 645-1985. Téléc. : 450 645-1912.
(*www.dumont-editeur.com*)
(*www.calepins-aventuriers.com*)

Éditeur : Bertrand Dumont

Révision : Raymond Deland

Conception de la mise en pages : Norman Dupuis

Infographie : Horti Média

Calibrage des photos : Langis Clavet

Illustrations : Sébastien Gagnon

Photos: Daniel Berthiaume

Dépôt légal – Bibliothèque et Archives nationales du Québec, 2010

Bibliothèque et Archives Canada, 2011

ISBN 978-2-923382-54-8

Imprimé au Canada sur papier 100 % recyclé

L'éditeur remercie :

• la Société de développement des entreprises culturelles (SODEC) du Québec pour son programme d'aide à l'édition et à la promotion ;

• Gouvernement du Québec – Programme de crédit d'impôt pour l'édition de livres – gestion SODEC.

Nous reconnaissons l'aide financière du gouvernement du Canada par l'entremise du Programme d'aide au développement de l'industrie de l'édition (PADIÉ) pour nos activités d'édition.

Patrimoine canadien Canadian Heritage

Les calepins des aventuriers

Récit de voyage

Vélo blues

Cyclotourisme en Crète, entre mer et montagne

Daniel Berthiaume

À tous les cyclistes tués par des automobilistes négligents ou arrogants, et tout particulièrement Sandra De La Garza, Lyn Duhamel et Christine Deschamps décédées en mai 2010 sur la route 112 à Rougemont au Québec.

«Je n'espère rien,
Je ne crains rien,
Je suis libre.»

Épitaphe de la tombe
de Nikos Kazantzakis
auteur de *Zorba le Grec*.

Table des matières

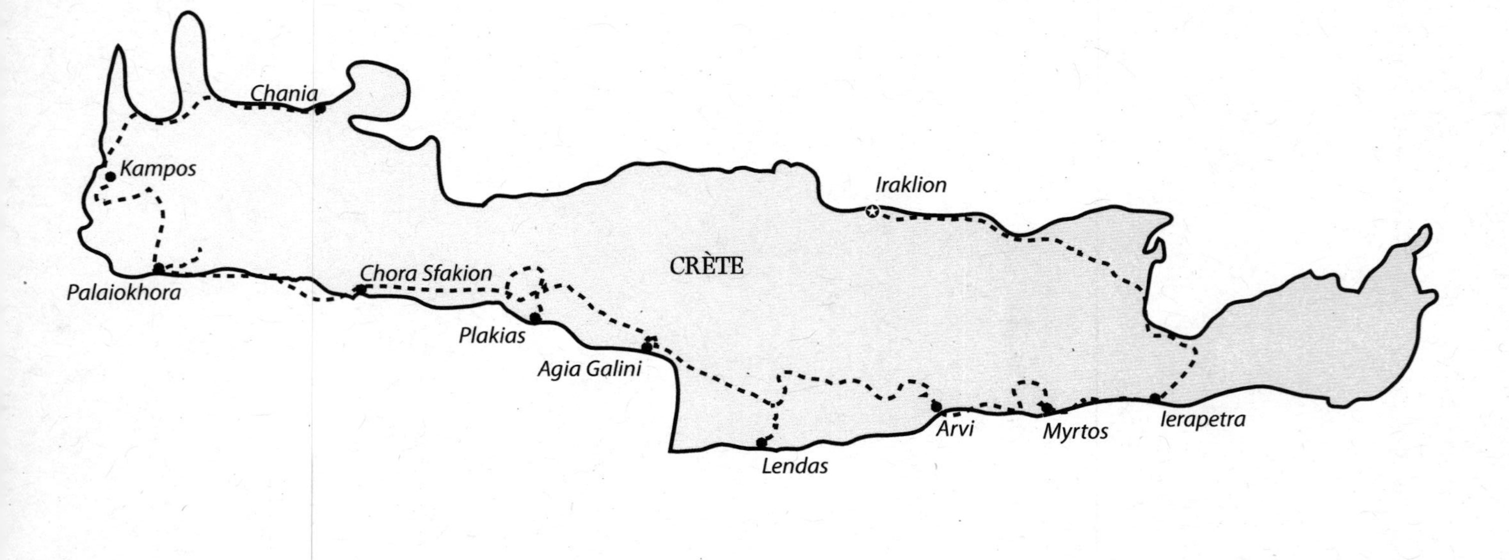
Chania
Kampos
Iraklion
CRÈTE
Chora Sfakion
Palaiokhora
Plakias
Agia Galini
Lendas
Arvi
Myrtos
Ierapetra

Un rêve qui éclôt

Un rêve dort dans son cocon
Un jour, il s'envole
Emporté par les vents
Capricieux et imprévus.

Nous étions douze à table, venant d'autant de pays, serrés les uns contre les autres dans cette petite pièce unique de ce qui avait été une modeste maison de paysans crétois.

Maria, la patronne, une fière quinquagénaire aux yeux encore brillants, faisait circuler des bols d'une soupe aux lentilles consistante et épicée. Nous l'arrosions généreusement d'huile d'olive et de citron. La grosse miche de pain et le litre de rouge circulaient de main en main. Dans la jeune vingtaine, comme tous mes compagnons, je savourais bien sûr cette nourriture simple. Mais je prenais surtout plaisir au fait d'être assis avec des gens venant de pays différents, et de partager des valeurs et une culture nouvelle et sans frontière. Nos discussions étaient vives et le son de nos voix et de nos rires résonnait au loin dans ce petit village oublié par la modernité.

❃

Trois décennies se sont écoulées depuis ce voyage en Crète, mais ce souvenir, comme plusieurs autres, est resté vivant dans ma mémoire. Les panoramas de mer et de montagnes qu'offraient les routes sinueuses et presque désertes de la Crète des années soixante-dix sont restés gravés dans mon esprit.

J'avais parcouru ces routes dans des autobus d'une autre époque, des véhicules verts aux formes arrondies, où l'on grimpait par une porte située à l'arrière. Les vieilles Grecques, toutes de noir vêtues, faisaient frénétiquement le signe de croix avant d'y monter, ce qui n'était pas très rassurant.

À l'intérieur, nous étions accueillis par un vieil homme corpulent et bien assis derrière son minuscule bureau. Une fois le passage réglé, il criait «*figué*» pour annoncer au chauffeur, à l'autre bout du véhicule, qu'il pouvait enclencher sa première vitesse. Après un roucoulement, le véhicule se mettait péniblement en marche. Comme s'il appréhendait déjà la dure épreuve que lui réservait le relief de l'île.

Trente ans plus tard, j'eus l'idée de retourner sur l'île et de m'attaquer à ces mêmes routes, cette fois à vélo. Je fis quelques recherches sur le web pour voir les possibilités de circuits. Tout ce que je trouvai, c'est que faire du vélo en Crète n'est pas une bonne idée. D'après mes informations, la circulation est trop dense sur les routes du nord de l'île, tandis que le relief, sur la côte sud, présente un défi insurmontable.

Ma Crète à moi, c'est la côte sud: c'est là que Kazantzakis a planté le décor de son roman *Zorba le Grec*. C'est une terre rude, abrupte et sauvage où le héros, un Crétois exilé, vient fouiller les entrailles de la Terre à la recherche de ses racines. Son chef de mine, Zorba, est à l'image de ce paysage: viril, robuste, omniprésent et indomptable. Il est à l'opposé du héros, l'écrivain tourné vers la vie intérieure et la réflexion.

Un peu comme l'auteur, à l'époque de mes voyages de jeunesse, j'étais en recherche, mais sans vraiment savoir de quoi. Mes séjours en Crète ont marqué un passage important pour l'homme en devenir que j'étais. C'était une ouverture sur le monde. Un monde plus primitif que celui dont j'étais issu, mais aussi un monde où circulaient des voyageurs de plusieurs pays occidentaux. Ce qui était très exotique pour un jeune vivant dans son petit coin d'Amérique francophone replié sur lui-même. À l'époque, je vivais au fond d'un rang du Bas-Saint-Laurent dans un comté francophone à quatre-vingt-dix-neuf et demi pour cent!

Retourner en Crète, tant d'années plus tard, était une occasion de reprendre contact avec cet univers, tout en relevant un défi d'endurance. Le vélo me permettait de mettre en action mon «Zorba» intérieur, de faire un avec la nature, de pouvoir mettre mes capacités physiques à l'épreuve, de vaincre la montagne, de franchir des distances surprenantes et d'inventer un parcours inédit. Et aussi, de manger goulûment tout ce qui me fait envie sans crainte de prendre du poids.

Ce projet dormait dans ma tête depuis des années. Il se réalisa grâce à une pause professionnelle, involontaire, mais bienvenue, jumelée au départ en appartement de mon fils devenu, enfin, adulte. Ce fut aussi grâce à un courriel annonçant une promotion pour des vols à destination de l'Europe, que le hasard fit atterrir dans ma boîte aux lettres électronique. Impossible, le vélo en Crète ? Qu'à cela ne tienne. Le moment était parfait pour vérifier la justesse de ce constat, de mes propres yeux… et de mes propres muscles.

Je m'envolai par un dimanche d'avril, ce mois que l'on déteste à Montréal, celui de l'hiver qui ne veut pas lâcher prise et qui ose encore saupoudrer des flocons de neige insupportables, au moment où devrait fleurir le printemps.

Le lundi je suis à Athènes et le mardi soir, par une belle soirée de pleine lune, le visage caressé par une douce brise maritime, me voici sur le pont de l'immense traversier qui quitte Le Pirée en direction de l'île de Crète. *Yes !*

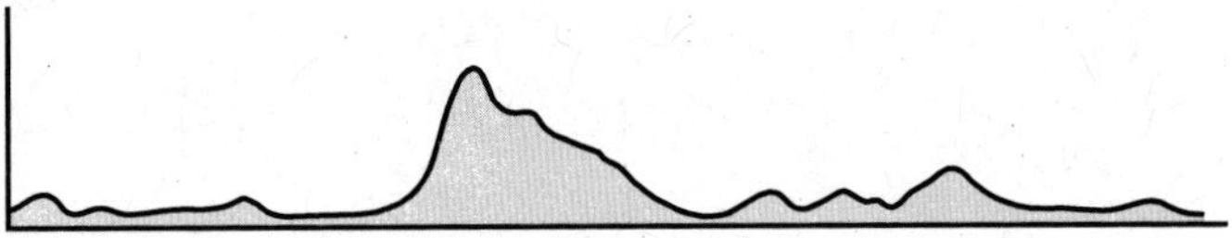

1re journée : d'Iraklion à Myrtos ; 122 km, 820 mètres de montée

Le débarquement en Crète

La Crète
Berceau de l'Europe,
Terre de Zorba
Si près, si loin.

Le traversier accoste à Iraklion, capitale de la Crète, à cinq heures du matin. Il fait encore nuit noire. Je vais récupérer mon vélo dans l'immense cale. Je me sens comme Don Quichotte dans ce monstre d'acier. Il n'y a que moi et ma ridicule monture entourés d'immenses camions-remorques qui rugissent pour se libérer du ventre de la baleine. Ils apportent ce que l'île ne produit pas, c'est-à-dire pratiquement tout, sauf la bouffe, le vin et le raki!

Je quitte le traversier pour plonger dans la nuit d'encre. Heureusement, j'ai une lampe frontale que j'ai préalablement fixée à mon sac de guidon et un petit feu rouge clignotant à l'arrière de mon vélo. Deux bonnes idées d'objets légers à mettre dans ses bagages.

Je n'ai pas gardé un bon souvenir d'Iraklion, la capitale. J'entame donc sur-le-champ mon tour de l'île en mettant le cap vers l'est. Après quelques minutes, je frappe lourdement un nid-de-poule et, comme je crains les chauffeurs grecs, je décide de m'arrêter dans le premier café que je verrai. J'aperçois rapidement un établissement ouvert et qui affiche de façon très voyante: *Breakfast*. J'arrête sans l'ombre d'une hésitation.

En entrant, je vois avec satisfaction la grosse machine à expresso qui trône derrière le comptoir. Premier signe que les choses ont changé. À l'époque, nous avions le choix entre le Nescafé et le café grec. Une fois, une seule, j'avais fait la gaffe à ne pas faire ici, demander un café turc. Les Turcs ont occupé l'île pendant 300 ans et les Crétois sont encore chatouilleux sur le sujet. Maintenant, c'est Starbuck's l'envahisseur, mais contrairement aux Turcs, ils n'égorgent plus les vaillants Crétois !

Ce matin, je peux donc m'offrir un capuccino. Heureusement, la culture locale n'a pas disparu pour autant. Je peux l'accompagner d'un *bougatsa*, une pâtisserie grecque composée d'une pâte feuilletée fourrée d'une crème pâtissière. Elle se mange chaude. Un régal lourd en calories et autres péchés que j'aurai l'occasion de brûler dans la journée. D'ailleurs, comme le jour ne se décide pas à se lever, je succombe une deuxième fois.

Je savoure ces moments d'attente où je n'ai rien d'autre à faire que de regarder la vie qui défile devant moi comme un grand théâtre. Je sors de plusieurs années de travail intense jumelé à la vie de père de famille. Rares étaient les temps libres à ne rien faire où l'on peut rêvasser sans aucun but.

C'est un cadeau à prendre. De plus, la vie dans un environnement étranger offre des scènes qui se renouvellent sans arrêt. Ici, les préposés s'affairent à préparer les sandwiches et salades pour la journée. Deux jeunes hommes traînent en fumant cigarette sur cigarette. Quelques clients, dont deux policiers, passent prendre un café. C'est la vie du petit matin, pour ceux qui doivent se lever très tôt. En général des gagnepetits, sauf les policiers bien entendu.

Finalement, le jour se lève et c'est en faisant les derniers ajustements sur mon vélo, graissage de chaîne et gonflage des pneus, que j'ai mon premier émerveillement. Lorsque je me relève, j'aperçois les sommets enneigés qui se dressent, majestueux, au loin derrière Iraklion. Je suis à l'extrême Sud de l'Europe à 300 km des côtes africaines, ça donne une idée du relief qui m'attend.

Une autoroute permet de sortir d'Iraklion. La circulation a dû bien augmenter pour qu'il en soit ainsi aujourd'hui. À l'époque, la circulation était clairsemée et une route à quatre voies aurait été une aberration. Par bonheur, la vieille route existe toujours et pour le cycliste c'est un avantage : elle est déserte. Si le paysage n'a rien pour écrire à sa mère, c'est néanmoins bien agréable de rouler dans ces petits vallons avec vue sur la Méditerranée.

Je suis seul sur la route. Le temps est bien légèrement frais et humide. L'herbe fraîche sent bon et le chant du coq apporte une touche d'exotisme. Au détour d'un tournant, deuxième émerveillement : j'arrive face à face avec un troupeau de moutons laissés à eux-mêmes. Les plus jeunes sont tentés de m'approcher, mais, comme les plus vieux sont plus timorés, ils fuient et suivent le troupeau. Des moutons quoi ! Je suis vraiment en Grèce : une bouffée de bonheur me traverse le corps.

Après quelques kilomètres, l'autoroute se transforme en une route moderne à deux voies, avec un bel accotement. La vieille route la longe encore presque tout le long du parcours et, lorsque je dois emprunter la nouvelle, le flux de circulation demeure raisonnable. La qualité du bitume de la nouvelle route est un billard comparé aux routes du Québec et celui de la vieille, n'est pas mal non plus. Ça me donne une petite envie de pester contre ce je-ne-sais-quoi qui fait qu'au Québec on doit rouler sur des routes lézardées, trouées, rapiécées.

Ne gâchons pas notre plaisir ! Revenons à nos moutons. Moi qui croyais me faire une petite journée de mise en forme, après trente-sept kilomètres de route en légers vallons je dois faire face à la géographie crétoise : mon premier col à grimper.

Je fais la première portion sur la nouvelle route et je m'arrête à une fontaine où un Grec remplit son bidon. J'ai le temps de bien l'observer, car son bidon est énorme et le débit d'eau, léger. Il doit avoir une quarantaine d'années et, à son type d'habillement et sa façon d'être, il pourrait bien être mon voisin à Montréal.

Lors de mon premier voyage, il y avait un grand écart culturel entre les étrangers et les Crétois. Ce n'est manifestement plus le cas. Bien entendu, l'homme parle anglais et j'en profite pour discuter de la route à venir. Il me déconseille de prendre la vieille route, qui monte beaucoup plus haut que la nouvelle. Il me déconseille également la route vers la ville de Sitia, située plus à l'est, qui est étroite, accidentée et achalandée.

Après avoir rempli mes gourdes d'eau fraîche, je reprends la route et je réalise qu'il y a pas mal de circulation sur la nouvelle route. Je décide de passer outre aux conseils de mon informateur et je bifurque sur l'ancienne route.

Je grimpe sur une route déserte qui slalome entre les oliviers. D'un rythme régulier, je pompe l'air parfumé au thym sauvage. Le paysage est grandiose et, malgré la montée qui se prolonge, j'ai un moment de pur bonheur. Je me dis alors que j'ai eu une maudite bonne idée de faire ce voyage. Je fais une pause pour m'étirer. Mon genou gauche manifeste un peu de fatigue. Je l'ai un peu malmené avant de partir et maintenant je dois le respecter, car il m'a déjà obligé à interrompre une expédition en vélo. Ici ce serait une catastrophe et je dois donc être aux petits soins avec lui. Je m'étire tranquillement et ça semble lui convenir. Je peux reprendre la montée.

Je dois préciser que je ne suis pas un athlète d'élite. J'aurai mes 54 ans pendant ce séjour. Je n'ai qu'une quarantaine de kilomètres de parcourus depuis le début de la saison de vélo. Mes conditions cardiovasculaires sont bonnes. J'ai passé l'hiver à explorer, en ski de grande randonnée, les Montagnes vertes qui entourent mon chalet situé à la frontière du Vermont. Toutefois, je porte quelques kilos en trop et j'ai déjà eu des problèmes de dos et de genoux. La prudence est de mise.

Après quelques kilomètres et environ trois cent cinquante mètres de montée verticale, j'arrive au sommet du petit col. Un petit village y est perché. Il est demeuré tel que les villages de mes souvenirs. Des rues étroites bordées de maisons, blanches si elles sont bien entretenues, grises si elles sont à l'abandon. Au centre, une petite place avec un petit café authentique, comme celui du film où Zorba rencontre l'auteur dans le roman de Kazantzakis.

Deux vieux Crétois, comme ceux qu'on y voyait, égrènent leurs dernières années de vie, assis bien droit sur leurs petites chaises. Sur leurs têtes, le foulard noir, typique des Crétois. C'est en fait un filet ajouré avec de minuscules grelots qui tombent sur leur front. Ils symbolisent les larmes de la perte de Constantinople ! À la main gauche, le petit chapelet traditionnel en ambre. Sur la table, au moins aussi vieille que les deux hommes, deux petites tasses avec au fond le marc de café qui doit être froid depuis des heures et les deux inévitables verres d'eau à peine touchés.

Nous nous regardons, eux aussi surpris que moi de cette apparition soudaine. Un peu comme une rencontre avec un chevreuil dans le bois, les regards se croisent quelques minutes entre le temps de la surprise et celui de la décision sur ce qu'on fera. On s'échange un *yasou* (salut) ! Puis, un peu gêné et ne sachant trop quoi faire, je reprends la route.

Me retrouver dans cet univers d'un autre temps dans mon ridicule accoutrement de cycliste me met mal à l'aise. Néanmoins, l'impression créée par cette courte rencontre reste forte et me poursuit pendant que je termine la traversée de ce village perdu.

À la sortie du village, je croise deux sportifs sur leurs vélos. Ils terminent leur ascension sans lever le nez de leur guidon. Ce sont les deux seuls cyclosportifs que je croiserai dans tout ce voyage.

Puis, j'entame la longue descente jusqu'à la petite ville d'Agios Nikolaos qui possède un des plus beaux ports de Crète. Je planifie d'y manger ma première salade grecque sur une terrasse au soleil. La pente douce et droite, ainsi que mon estomac qui crie famine, font voler mon vélo jusqu'à destination.

La petite ville est jolie, mais très touristique. J'apprécie le fauteuil moelleux sur lequel je suis assis, le soleil qui me chauffe le visage, la vue sur le petit port et le pain trempé dans l'huile d'olive bien savoureuse.

Afin de donner suite à la discussion avec le type de la fontaine, je décide de ne pas me rendre à l'extrémité est de l'île, bien que cette région soit fortement recommandée par le *Guide du Routard*. J'aurai ainsi plus de temps pour traîner sur la côte sud. Mon circuit n'est ni une course ni un entraînement printanier, comme plusieurs le font à cette période de l'année. C'est une visite souvenir que je veux pouvoir savourer en ayant une marge de manœuvre pour pouvoir traîner au fil des inspirations. Comme je ne connais pas le portrait précis du relief qui m'attend, je préfère être prudent. Je décide donc de couper directement vers Ierapetra, sur la côte sud. C'est l'endroit de l'île où la traversée est la plus courte et, je le découvrirai plus tard, la moins accidentée. En plus, c'est une ville où j'ai jadis vécu et travaillé.

*

Comme plusieurs autres jeunes voyageurs, je gagnais ma vie à transporter de gros blocs de pierre dans des brouettes déglinguées. Nous approvisionnions de vieux tailleurs de pierre en costumes d'époque : le foulard noir sur la tête, une chemise brune de tissu robuste et des pantalons à la turque avec la fourche à la hauteur des genoux. Le tout complété par des bottes en cuir assez hautes pour marcher dans la nature sans craindre les morsures de serpents. Nous œuvrions tous à la construction d'un hôtel. Ce boulot était exotique à souhait, mais plutôt éreintant. Je crois même que j'en ai encore mal au dos. Le salaire était ridicule, mais le coût de la vie également.

*

Je reprends la route, le paysage est toujours aussi agréable, des montagnes de rocs gris et de verts oliviers sur fond de ciel bleu, sans un seul nuage. En arrière-plan : la Méditerranée.

Malheureusement, les constructions récentes gâchent le paysage. La circulation est lourde. Par contre, le relief monte et descend agréablement. Après plusieurs kilomètres de ce régime, j'aperçois les ruines d'une petite cité de la grande époque des Minoens. Je fais une pause et médite sur cette civilisation, la première grande civilisation européenne, qui y a laissé ses traces.

Selon la mythologie, la mère de Minos s'appelait Europe. Des fondations de bâtiments sont alignées au milieu d'un paysage de carte postale. C'est tout ce qui reste des générations qui y ont vécu.

Je repense à un documentaire sur Pompéi que j'ai vu il y a plusieurs années. J'avais été frappé par l'image d'un lavoir où l'on pouvait voir les pierres usées par le frottement des femmes qui y lavaient le linge. Des générations y étaient passées. Des centaines de personnes avaient vécu des vies pleines de drames, de joies et de passions et n'avaient laissé comme trace de leurs passages que quelques millimètres d'usure dans la pierre. Dire qu'aujourd'hui on se donne tant de mal pour laisser sa trace, du genre écrire un livre…

Un Français m'avait dit un jour avoir été impressionné par toutes ces générations d'autochtones du Canada qui sont passées sans laisser aucune trace. Par exemple, les tribus de Terre-Neuve, qui ont disparu sans que l'on sache comment et dont il ne reste pratiquement rien. Dans un monde où chacun tente désespérément de faire sa marque, pas surprenant que l'on commence à penser à diminuer notre empreinte écologique sur notre pauvre planète qui empile les générations.

Perdu dans ces réflexions, j'aperçois au loin une charmante petite chapelle d'un blanc immaculé. Je décide d'aller la voir de plus près. Peut-être y trouverai-je réponse à mes réflexions existentielles ?

Surplombant la mer, le site est désert. Pourtant, la chapelle et le terrain adjacent sont très bien entretenus. La porte est entrouverte et je me glisse à l'intérieur. Des icônes, des chandelles, un minuscule autel. À l'extérieur, il y a une petite terrasse où plombe ce délicieux soleil printanier. Le lieu dégage un calme serein et la centaine de kilomètres que j'ai parcourus font flancher mes genoux. Je m'allonge pour me faire chauffer comme un lézard.

L'arrivée d'un improbable visiteur me ramène à la réalité. Il m'apprend que la chapelle est dédiée à une sainte, dont le nom m'échappe, et qui est la patronne de la grande mer. Pas la Méditerranée, le grand océan Atlantique. Cette église est en fait un monument à la déesse de la mer. Finalement, une des grandes réussites du christianisme est d'avoir intégré de diverses façons les rituels et divinités antiques.

Il me reste une vingtaine de kilomètres avant d'atteindre Ierapetra. Je crains le pire, car je dois traverser l'île du nord au sud. Surprise, la route emprunte une brèche dans la chaîne de montagnes qui est l'épine dorsale de la Crète. La pensée d'aller manger un baklava bien collant de miel et de muscade me donne déjà de l'énergie. Mes jambes moulinent avec entrain et mon vélo avale les kilomètres rapidement.

C'est en relative bonne forme que j'arrive au port d'Ierapetra à la recherche d'un café qui donne sur la mer et qui porte un nom français. J'ai un souvenir très vivant de ce café tenu par une Française, mariée avec un gars du coin. Nous avions plusieurs amis communs, dont Ingrid, une Norvégienne avec qui j'ai été très proche. Grâce à Internet, j'avais retrouvé sa trace et nous avions correspondu pendant plusieurs années. Elle m'avait écrit être toujours en contact avec la patronne du café. Mais, Ingrid a changé de travail et de courriel, et j'ai perdu sa trace.

La patronne française, si elle possède toujours son café, pourrait faire un lien avec ce passé devenu lointain. Ierapetra n'a jamais eu beaucoup de charme à mes yeux et ça semble ne pas avoir changé. C'est une petite ville de province avec de petites maisons quelconques et un bord de mer assez touristique. Après un rapide tour sans voir le café, je décide de me rendre à Myrtos, le village voisin. À l'opposé, j'en garde de très bons souvenirs. La lecture du *Guide du Routard* confirme mon impression et me donne l'énergie d'aller encore plus loin. Mon genou gauche semble d'accord.

Toutefois, avant de reprendre la route, je pars à la recherche du fameux baklava que j'avais en tête. Le vélo, c'est quand même sympa pour pouvoir bouffer sans retenue. Je trouve rapidement une petite boulangerie pour sustenter ce désir. Je l'avale goulûment: les efforts d'une journée, ça creuse. Il est délicieux, généreusement imbibé de sirop et de muscade. Un bon coup de fouet pour faire les derniers vingt kilomètres qui s'avèrent ternes et plats.

Dans mon souvenir, la plaine entre Ierapetra et Myrtos est monotone et couverte de serres de tomates, de concombres et d'autres produits frais qui peuvent pousser à contre-saison et iront approvisionner les tables de toute l'Europe. Je tente de retrouver sans succès l'usine d'emballage de concombres où j'avais travaillé à l'époque avec une bande de joyeux Tziganes. Nous emballions des concombres comme on en trouve dans tous les grands marchés.

Sur la route, la circulation des voitures, camions et petits pick-up est dense. Par contre, malgré ce qu'on m'avait dit, les chauffeurs sont respectueux du cycliste que je suis. Tous, sauf un connard qui me klaxonne agressivement et passe tout près de moi. Je constate à sa plaque d'immatriculation que c'est un Bulgare.

Vers la fin du parcours, je réalise que ma mémoire m'a trahi: je dois franchir quelques montées, trois en fait, avant de gagner mon ciel. Elles sont douces et modestes, mais ma longue route de la journée les rend douloureuses. Finalement, quand je vois le village et sa petite pancarte, Myrtos, j'ai rempli mon quota de vélo pour la journée.

En fait, ce sont ces petites montées qui isolent Myrtos du chaos d'Ierapetra et ce petit village, emmitouflé dans les montagnes et bercé par le bruit des vagues, dégage un calme apaisant. Avant de m'y abandonner, je tente de retrouver la *Cretian Pension* dont il est question dans le *Guide du Routard*. Elle est apparemment tenue par une vieille Maria sympathique. Je me dis que ce peut être la même pension tenue par la même Maria que j'ai connue il y a trente ans. Elle louait des lits dans des dortoirs à bon prix et offrait également le souper. Nous nous retrouvions une douzaine de jeunes à table venant presque tous de pays différents. Le vin aidant, les discussions étaient animées et, comme on était tous jeunes et beaux, c'était assez émoustillant.

Mais la pension est fermée et ce n'est pas celle de mes souvenirs. Je trouve un petit hôtel sur le bord de mer et négocie un bon prix. Il semble que ce soit la saison morte : j'arrive facilement à faire baisser le tarif. L'aubergiste, un Grec costaud à la voix grave, a l'air sympa et tient la pension avec une femme qui doit être sa mère, une vieille à l'air malcommode toute courbée. Elle semble en plein contrôle de la situation et de son fils, car c'est elle qui doit approuver le fruit de la négociation et elle ne semble pas impressionnée du résultat. Elle acquiesce néanmoins. En entrant à l'intérieur de ce qui doit faire office de réception pour prendre les clefs, je constate que c'est un bordel total. Un ramassis de vieux objets, de couvertures et de literie repose dans un désordre absolu sur les meubles dépareillés et posés n'importe comment. Par contre, la chambre est propre, il y a un balcon qui donne sur la mer et on entend le bruit des vagues. Le bonheur.

J'étire mes muscles endoloris et je vais plonger dans la mer qui est assez froide. Selon le proprio, l'eau est à dix-sept degrés. Parfait pour mes articulations et aussi pour épater la galerie des quelques touristes qui prennent l'apéro sur la promenade qui longe la plage. En rentrant, la maman de mon propriétaire pousse un cri et son fils me fait comprendre que je dois me rincer les pieds afin de ne pas ensabler tout l'hôtel.

Je finis ma récupération en me dorant sur mon balcon baigné par le soleil couchant. Un doux endormissement m'envahit. Pas surprenant, j'ai roulé de six heures trente du matin à cinq heures de l'après-midi, parcouru plus de cent vingt kilomètres et grimpé plus de huit cents mètres de dénivelé…

Mon estomac me ramène à l'angoisse du vacancier qui doit décider où il va aller manger. Ici, la tâche n'est pas trop compliquée. À cette période de l'année, il n'y a que cinq restaurants ouverts. Ce chiffre doublera avec l'arrivée de l'été. Je fais le tour du village en cinq minutes et je constate que quatre restaurants offrent des plats grecs traditionnels comme à l'époque et un se spécialise dans la pizza. Je l'élimine. Selon les informations recueillies auprès de mon proprio et de la tenancière d'une boutique d'artisanat, une Hollandaise expatriée, tous se valent. Donc, j'irai là où il y a du monde. Celui qui remporte la palme est en terrasse sur le bord de mer. Une seule table est occupée. J'ai à peine le temps de recevoir mon demi-litre de rouge que mes voisins fuient à l'intérieur à cause du froid. La serveuse s'inquiète de mon sort, mais aussi probablement pour s'éviter des pas supplémentaires, elle me demande si je veux entrer. Je la rassure en lui mentionnant que trois jours auparavant, j'étais à Montréal et qu'il neigeait.

Malheureusement pour elle, un couple de Suédois avec leurs deux enfants viennent me rejoindre, puis un couple d'Allemands et un autre de Français. Myrtos est devenu une destination famille. Il n'y a pas de circulation dans le village, c'est donc parfait pour les jeunes enfants qui peuvent circuler pendant que leurs parents s'attardent à table et finissent tranquillement leur demi-litre de vin, et probablement en reprendront un autre.

❊

À une autre époque, le village attirait en général des célibataires dans la jeune vingtaine. C'était un grand plaisir d'échanger avec ces gens venus de différents pays et qui partageaient mes valeurs. En fait, avec le recul, je réalise que la brochette de pays représentés se limitait aux pays occidentaux et, plus spécifiquement, le Nord germanique plutôt que le Sud latin.

Nos rencontres étaient bien arrosées de vin, d'ouzo et de raki. Toutes ces boissons étaient vendues à des prix inhabituels pour ceux, qui, comme moi, venaient de pays où l'alcool est une vache à lait pour l'État. Le raki mettait le feu aux poudres. C'est la boisson des Crétois, en fait une grappa légère, délicieuse et pernicieuse. Servie en digestif, mais aussi tout au long de la journée, elle nous transportait dans une ambiance de fête. Les inhibitions s'envolaient au fur et à mesure que la soirée avançait et le reste suivait. Quelle époque !

Justement, le gazouillis de mes voisins suédois me rappelle qu'en ce lieu même sur cette même plage, il y a plus de trente ans, j'étais assis devant un feu de camp à côté d'une Suédoise toute blonde, les joues rosies par le soleil et des yeux aussi bleus que le ciel grec. Elle voyageait avec une amie qui traînait une balalaïka dont elle tentait de jouer sans trop de succès. Nous nous étions rencontrés au café où tous s'agglutinaient le soir. Une télévision en noir et blanc diffusait des films américains sous-titrés en grec. C'était une source de tensions entre les locaux, des hommes, et les jeunes voyageurs dont les discussions s'animaient avec le flux de raki. Le bruit montait petit à petit et les Crétois n'arrivaient plus à entendre le son de l'appareil désuet. Les fêtards dont nous faisions partie avaient finalement capitulé et nous nous étions déplacés sur la plage pour finir cette soirée autour d'un feu.

J'ai fait la cour à ma blonde suédoise en laissant tomber lentement quelques grains de sable sur sa main posée au sol. La réaction de son regard a invité mes doigts à prendre le relais. Et le reste a suivi. Beau cadeau de Noël. Elle était douce et timide, cette belle au nom exotique, Shasten. J'ai appris par la suite que ce prénom est banal et commun dans son pays.

Après cette première nuit, nous avons passé plusieurs jours ensemble. Mais elle était très intérieure, gênée et sexuellement passive, à ma grande surprise. À cette époque, les Suédoises avaient une réputation d'enfer. Comme de mon côté je n'étais pas très à l'aise en ce qui concerne l'intimité verbale, je n'arrivais pas à savoir ce qu'elle ressentait pour moi et ça me mettait mal à l'aise. Je ne le savais pas trop à ce moment, mais je le réaliserai plus tard que cette rencontre était assez typique pour moi. J'avais en effet le don d'identifier le beau petit oiseau blessé dans un groupe et d'en être irrésistiblement attiré. J'arrivais à la séduire et à créer un lien de confiance. C'était une zone de confort pour le chevreuil craintif en moi. Mais assez rapidement, un lien de dépendance que je ne pouvais supporter se créait et je n'avais alors plus qu'une envie : repartir galoper et fuir vers d'autres prés. Je n'avais aucun recul quant à cette dynamique et cette incapacité a fait que nos destins n'ont fait que se croiser. Je me demande bien ce qu'elle est devenue.

❀

Le fond de mon demi-litre me ramène à la réalité. Comme mon assiette n'est pas encore finie, j'en commande un autre. Après tout, au prix qu'il est, trois euros, je n'ai pas à me priver. Finalement, je le partage avec mes voisins qui m'ont mis sur cette piste de mon passé. Au moment de passer à la caisse, une surprise : la facture est accompagnée d'une petite carafe de raki. Dangereux pour le cycliste. Contrairement à une autre époque, je bois celle offerte par le patron et m'en tiens à celle-là. Puis je vais me coucher. J'ai mes cent vingt kilomètres de vélo dans le corps et je suis épuisé.

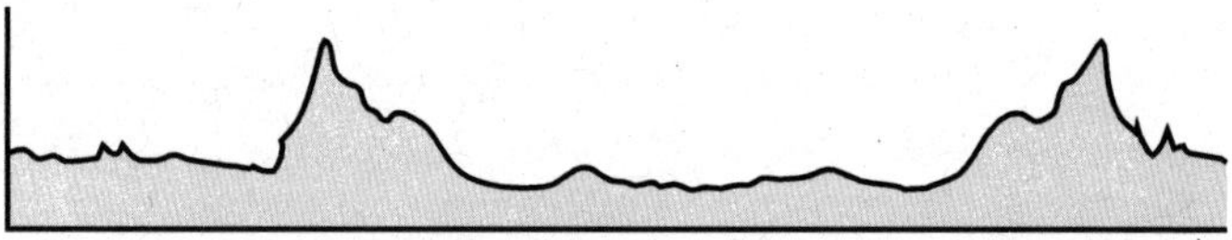

2e journée : de Myrtos à Ierapetra à Myrtos ;
30 km, 160 mètres de monté

À la recherche des Gitans

Bohémiens
D'hier et d'aujourd'hui
Qui passent et repassent
En laissant si peu de traces.

Je passe une nuit interrompue par le décalage horaire et que je mets à profit pour rédiger le premier jet de ce journal de voyage. Le matin, je m'arrête à l'épicerie afin d'acheter un de mes souvenirs gastronomiques, introuvable ailleurs : le yogourt au lait de brebis. Il est vendu dans un pot plat dont le format n'a pas changé depuis trente ans. Dessus, une petite peau ridée que l'on transperce avec la cuillère. Il est ferme et voluptueux. Avec un petit pain frais au sésame acheté directement à la boulangerie, quel régal ! Pour terminer ce petit-déjeuner pris sur un banc face à la mer, je me rends au café situé au centre du village.

Quelques tables et chaises sont disposées directement sur la rue étroite. Une dame toute de noir vêtue vient me saluer et prendre la commande. Je lui demande un café grec *metrio*, c'est-à-dire pas trop sucré. Il faut en effet spécifier dès la commande la quantité de sucre, car, une fois qu'il est servi, il ne faut pas brasser le café, car le marc se dépose au fond de la tasse. La préparation prend toujours un certain temps et c'est un excellent moment pour observer la vie locale. Du théâtre réalité, en quelque sorte.

Ce matin, les acteurs sont deux vieux Crétois installés à la table d'à côté avec deux types de mon âge, mais qui sont manifestement en plus mauvais état que moi. D'ailleurs, ils sont déjà bien réchauffés pour une heure aussi matinale. Si l'un semble Grec, l'autre me paraît être un étranger bien enraciné, car il parle le grec avec fluidité.

Petit à petit, je me bâtis un scénario. C'est peut-être un des jeunes de mon époque qui s'est accroché ici et y a vécu depuis ce temps. À le regarder, des vêtements usés et couverts de peinture, un visage buriné pas rasé et, bien en vue, deux dents manquantes, je m'imagine qu'il vit avec peu de moyens.

La peinture qui tache ses vêtements est blanche, j'en déduis qu'il survit avec des petits boulots de rénovation plutôt que comme artiste-peintre. Peut-être a-t-il reçu un petit héritage ou une rente dans son pays qui lui a permis de survivre ici. On voit que c'était un bel homme et je m'imagine qu'il a dû avoir du succès auprès des touristes de passage. Petit à petit, les ponts se sont coupés avec son pays d'origine et il s'est retrouvé coincé ici. Probablement qu'il ne réalise pas le drame qu'il a vécu, l'abus d'alcool lui permettant d'éviter toute introspection douloureuse.

Je m'imagine vivant la même vie, dans un petit village sympathique sur la côte en retrait de la vie moderne. Cette fuite m'a attiré à l'époque de mon premier voyage et j'ai eu de la difficulté à décrocher de cette vie de bohème et à m'intégrer dans le monde du travail. Je me vois, m'étant accroché ici, et ayant décliné au fil des ans. Pendant que cette histoire se construit dans ma tête, une quinquagénaire, qui fait plus que son âge, passe et interpelle notre personnage en allemand, qui lui répond sans accent. Mon scénario n'est peut-être pas si farfelu que ça…

Je quitte finalement cette scène et pousse une petite pointe en vélo vers l'est. La route longe paresseusement la mer au pied des montagnes. D'un côté, des falaises abruptes et dénudées, de l'autre d'agréables petites plages de galets complètement désertes. Puis, j'arrive à un petit hameau où une dame cueille ses artichauts. Je m'arrête et la salue. Elle m'en offre un. Comme j'hésite – je ne suis pas habitué à les manger crus et je n'ai pas l'équipement pour les faire cuire –, elle précise que c'est bon avec l'ouzo ou le raki. J'accepte et, en retour, je lui offre une de mes barres tendres. Bien que l'on ne puisse pas s'engager dans une réelle conversation, cette rencontre me fait grand plaisir. Elle n'aurait pas été possible si je me déplaçais en auto. Vive le vélo!

Je fais demi-tour et je reviens sur mes pas afin de retourner à Ierapetra. Je passe Myrtos et les trois pentes que je dois grimper sont moins pénibles à monter que la veille. Je constate que mes jambes, et surtout mes genoux, ont bien tenu le coup malgré la distance parcourue la veille. Par contre, les fesses me font horriblement souffrir. Je pédale en changeant continuellement de position pour trouver la moins douloureuse.

De peine et de misère, j'arrive assez rapidement à Ierapetra. En parcourant la ville, je réalise qu'elle est finalement plus agréable que dans mon souvenir. À l'époque, les touristes qui y séjournaient aimaient le charme de cette petite ville hors des circuits fréquentés et le fait qu'il y était plus facile d'avoir des contacts avec la population locale.

❁

Lorsque j'y avais séjourné, je courtisais une Norvégienne, Ingrid, qui n'était pas libre, car elle avait un copain grec. Celui-ci, originaire d'un pauvre village du nord de la Grèce, travaillait pour payer la dot de ses sœurs avant de pouvoir lui-même se marier. Tout ceci après avoir fait ses trois ans de service militaire. La Grèce était à l'époque en état permanent de presque guerre avec son ennemi de toujours, la Turquie. Donc ce jeune Grec vivait une jeunesse moins drôle que la mienne. Mais il avait un avantage sur moi : il avait conquis le cœur d'Ingrid. Leur idylle n'a pas duré longtemps.

❁

En revanche, les relations entre la Grèce et la Turquie semblent plus calmes, aujourd'hui, et le service militaire, toujours obligatoire, ne dure plus qu'un an. Chaque jour, le journal grec traduit en anglais publie une petite pointe subtile contre la Turquie. Chose certaine, je ne roulerais pas en vélo en Grèce avec le maillot de l'équipe nationale turque.

Je traverse la ville et longe la côte vers l'est. À la sortie de la ville, je revois « mon » hôtel, celui que j'avais contribué à construire. Malheureusement, il est fermé. J'apprendrai plus tard qu'il n'ouvre ses portes que pour la haute saison, en juin. Les murs de pierre et le porche en pierres taillées sont très réussis. Bon travail !

En tournant autour de l'hôtel, je crève mon premier pneu. C'est la bonne journée, je ne suis ni pressé, ni fatigué et je répare le tout sur un banc de la promenade qui longe la plage. Le soleil est bon, la brise douce et les vagues battent la mesure. Il y a pire…

Je longe le bord de mer pour retrouver le café de la Française. Accroché au paravent d'une terrasse, je vois une affiche surprenante : «*Restaurant approuvé par l'Association des Français de Crète*». J'aborde la serveuse en français et elle m'apprend que le café de mes souvenirs, qui s'appelait le Minotaure, a fermé depuis longtemps.

Je décide de m'arrêter au seul café du port ayant une connexion wi-fi. Eh oui ! Dans mes bagages qui tiennent dans deux petits sacs je transporte un «notebook», mini-ordinateur qui me permet de rester branché pendant tout mon périple.

Je profite de la pause pour planifier mon itinéraire. Ce n'est pas évident, car il n'y a pas de route qui fait le tour de l'île. Le relief est trop accidenté. J'ai déjà visité deux parties du sud de l'île, la portion entre Ierapetra et Arvi du côté est et le village de Palaiokhora à l'extrémité ouest. Entre les deux, c'est l'inconnu. En consultant ma carte, je constate qu'il y a une route qui parcourt une bonne partie de l'intérieur de l'île. Pour atteindre les villages côtiers, il faut emprunter des petites routes de montagne. Faire tous les villages serait trop long, je dois faire des choix.

En consultant le *Guide du Routard*, je fixe mon itinéraire. Je choisis quelques villages qui pourront changer selon les informations que j'aurai à ma disposition tout au long du trajet. Mais une portion est incontournable : celle entre Chora Sfakion et Palaiokhora, il n'y a que le bateau comme mode de transport. Après Palaiokhora, je devrai remonter vers l'intérieur pour me rendre vers la côte ouest. Puis, je vais revenir à la côte nord à Chania d'où je prendrai le traversier pour Le Pirée. Chaque étape sera longue de cinquante à cent kilomètres. C'est raisonnable, par contre comme ma carte n'indique pas le relief, je n'ai donc aucune idée des obstacles à franchir. En vélo, les distances ne veulent parfois pas dire grand-chose, c'est le dénivelé qui impose sa loi sur le cycliste. Suspense !

J'enfourche ma monture avec entrain en ayant en tête ce parcours plein de promesses et je reviens vers Myrtos. Sur la route, en observant bien, je crois reconnaître mon usine d'emballage de concombres. J'arrête et je questionne un homme qui y travaille et qui parle anglais. Il me confirme que le bâtiment existait à l'époque. Mais il n'y a aucun Gitan autour. Le lieu où se trouvait leur campement a cédé la place à une maison, plutôt moche par ailleurs.

⁂

Ces Gitans, c'était toute une bande qu'on n'oublie pas. Ils composaient l'essentiel du personnel de la petite usine déglinguée. Seuls un jeune Grec venu du continent et moi détonions dans le décor. Lui avait l'allure d'un demi-dieu grec, les cheveux frisés blonds et les yeux bleus. Nous avions la responsabilité d'amener les caisses de concombres et de les déverser dans un bac. Les Gitanes les lavaient, ou pour être précis, passaient une éponge synthétique et bien sèche afin d'enlever le surplus de je ne sais trop quels produits chimiques.

Puis les concombres étaient déposés sur un tapis roulant et passés dans un four afin de les recouvrir de la pellicule que l'on peut voir dans tous les supermarchés.

Les Gitanes formaient une bande colorée dans tous les sens du terme. Des robes et des foulards avec des motifs en rouge, en jaune, en bleu ou en vert, bien voyants et bien harmonisés. Le tout d'une propreté discutable, mais c'était compréhensible quand on sait dans quelles conditions sanitaires vivaient ces travailleuses : de sordides abris de fortune en polythène sans aucun équipement sanitaire. Les plus jeunes de ces femmes étaient attirantes, avec leurs longs cheveux noirs et leurs yeux foncés et pétillants.

Une de ces Gitanes était magnifique et le groupe avait planifié de la marier avec moi. Disons que je gardais une saine distance.

Le travail routinier permettait de discuter tout en besognant. Ce dont elles ne se privaient pas. Au contraire. Elles étaient en perpétuelle conversation dans leur langue que personne d'autre ne comprenait. De temps en temps, mon collègue grec s'informait en grec des sujets de discussion et m'en faisait part. Parfois on ne nous disait rien. Ce qui était surprenant, c'est qu'elles pouvaient s'engueuler de façon vraiment violente, au point de frôler l'empoignade. Quinze minutes plus tard, tout le monde rigolait. Intense et aux antipodes du contexte familial et social dans lequel j'ai grandi, celui de Normands éparpillés dans les grands espaces nordiques de l'Amérique du Nord.

Petit à petit, j'avais appris que la fille qui m'était destinée était âgée de seize ans et déjà mère d'un petit. Sa maman était grand-mère, à l'âge de trente ans. Le gamin de l'une de ces femmes passait nous voir de temps en temps. Âgé de trois ans et mignon comme tout, les cheveux noirs en brosse, les yeux noirs en feu. Il arrivait, sans qu'on s'en rende compte, un concombre à la main avec l'immense sourire de celui qui vient de faire un mauvais coup et qui en est bien fier. Quand le patron l'apercevait, il le mettait dehors à coups de pied, vraiment à coups de pied. Il hurlait de sa grosse voix grave et colérique. Peine perdue, tôt ou tard le gamin revenait et le scénario se répétait.

Notre petit hangar en tôle usée regorgeait de vie. Avec le recul, je me trouve bien chanceux d'y avoir eu accès. Ces Gitans menaient une vie difficile, rejetés par les Crétois, pauvres et vivant dans des conditions misérables comparables à celles avec lesquelles doivent composer nos confrères amérindiens. Pourtant, ils avaient en eux une vitalité peu commune et avaient toujours été chaleureux avec moi.

❋

C'est la tête pleine de nostalgie que je reprends la route. De retour à Myrtos, je croise mes amis suédois qui prennent l'apéro sur la terrasse au bord de la mer. Ils m'invitent à me joindre à eux pour le repas du soir. Ils me proposent justement le resto que j'avais en tête. Situé au centre du village, à côté du café, il présente un décor chaleureux et un menu invitant. Avant d'y aller, j'offre à mes compagnons de partager une bouteille de retsina, un vin blanc parfumé de résine de pin. Moi, j'aime bien, mais le truc ne fait pas l'unanimité. En accompagnement, je sors mon artichaut qui s'avère particulièrement tendre, même cru.

L'homme est directeur d'un organisme gouvernemental suédois qui certifie des entreprises vertes. Il a dans la cinquantaine avancée. Elle, beaucoup plus jeune, est acheteuse dans un hôpital. Elle doit donc rechercher des fournisseurs ayant la certification « verte ».

Pas compliqué de se bâtir un scénario de rencontre. Il avait déjà deux grands enfants et ensemble, ils ont un garçon avec un inséparable ballon de football et une fille avec qui, selon eux, ils ont des problèmes. Elle a manifestement des talents d'actrice. Bien que je ne comprenne rien à ses numéros, je la vois passer par toutes les émotions pour finir par obtenir ce qu'elle veut. En terminant l'apéro, je vois passer l'édenté de ce matin qui raccompagne à l'hôtel l'Allemande défraîchie.

Puis, nous nous rendons au resto. Le propriétaire, Yannis, est un gars du coin. Dans la trentaine avancée, il a repris l'affaire de son oncle après son décès. Il a ainsi soulagé son mal du pays après un séjour de quinze ans en Finlande. Il y a ramené une Finlandaise qu'il traite… à la mode grecque. C'est-à-dire qu'il la laisse dans l'ombre tandis qu'il passe une bonne partie de la soirée avec nous, vu le peu de clientèle, en sirotant raki sur raki et en nous racontant la vie dans son coin de pays. Heureusement qu'il fait la conversation, car mes amis suédois sont peu volubiles malgré tous les apéros qu'ils ont avalés.

Nous apprenons ainsi que le tourisme dans le coin est en déclin depuis environ cinq ans. Yannis confirme ainsi ce que d'autres restaurateurs m'avaient déjà dit. Cette année, à cause de la récession, la baisse est importante : environ quinze pour cent. Depuis le passage à l'euro, les voyageurs ont abandonné la Crète pour des destinations plus abordables. J'ai pu le constater par moi-même. À l'époque, je vivais avec environ cinq dollars par jour, tout compris, incluant le vin à volonté. Bien entendu, mes exigences ont changé, mais pour ce voyage j'avais prévu un budget de cinquante dollars par jour. Ce sera plutôt quatre-vingts, et ce, même si nous sommes hors saison et qu'il est facile de marchander le prix de la chambre d'hôtel.

À l'époque, il y avait du monde toute l'année. Maintenant, c'est seulement de mai à octobre. Presque tout est fermé l'hiver. Le propriétaire du resto en profite et retourne en Finlande où il a un fils de quinze ans. Pendant l'été, il travaille tout le temps et il se plaint qu'il ne reste que les vieux. Tous les gens de son âge sont partis.

Le repas est vraiment délicieux. Nous partageons du poulet grillé à la sauge et au citron, et de l'agneau braisé. Un régal.

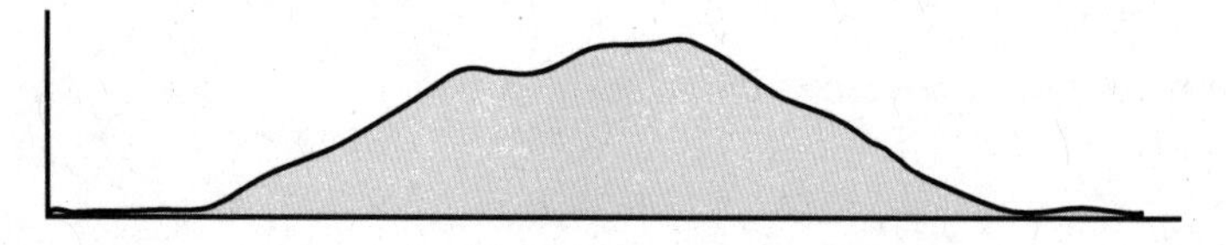

3e journée : de Myrtos à Arvi ; 40 km, 725 mètres de montée

Une cérémonie spirituelle improvisée

Lieux inaccessibles
Où le temps s'est arrêté
La vie dépouillée
N'y a laissé que l'essentiel.

Au petit matin, je fais rapidement mes bagages et je suis prêt à aller de l'avant. Un dernier *metrio* à mon café habituel. Ce matin, il n'y a pas de spectacle : c'est désert. Je prends quelques photos, fais mes salutations aux Suédois et reprends la route.

Au départ de Myrtos, la route longe la mer. Elle est pavée, c'est plat et je suis à peine ralenti par un léger vent de face. Tout baigne. Toutefois, je sais que j'aurai un kilomètre à faire sur une route en terre et qui est très mal entretenue. Yannis, le patron du resto, m'a expliqué que les deux municipalités ne s'entendent pas sur laquelle a la responsabilité de ce kilomètre. Résultat : personne ne s'en occupe. L'avantage, c'est que ça décourage les passants qui utilisent plutôt la route nationale. J'ai donc le privilège de rouler seul pendant quelques kilomètres au bord de la Méditerranée. Avant d'amorcer la montée qui pointe à gauche, j'aperçois à droite un petit village accueillant, qui ressemble à Myrtos, en plus petit et en plus sauvage. Je me le garde pour une autre fois. J'entame la montée.

Pour atteindre Arvi, qui est un peu plus loin sur la côte, il faut rejoindre la route nationale, puis bifurquer et descendre vers la mer. Le paysage est spectaculaire. S'il est désertique au niveau de la mer, en montant, les oliveraies prennent toute la place. Plus haut, les pins les remplacent. D'un côté, la mer, de l'autre, les montagnes. Certains passages sont plutôt abrupts et je dois m'arrêter régulièrement pour reprendre mon souffle et éviter les blessures. Toute une montée, six cent cinquante mètres de dénivelé qui mène à un petit village tout en corniche.

Je rejoins la route nationale où le degré d'inclinaison est plus raisonnable et la circulation à peine plus importante. Peu après, à la fin d'une petite montée, une jolie chapelle m'invite à faire une pause. Une voiture s'y trouve déjà. Je réalise que ses passagers sont français et je leur dis bonjour ! L'un d'eux se dirige vers moi et m'aborde les yeux fixés sur ma roue arrière afin de voir les types de pignons que je dois utiliser pour monter ces côtes interminables. Plus le nombre de dents est élevé sur le pignon de la roue arrière, plus la montée est facile. C'est l'inverse pour le pédalier.

– « *Avez-vous une 27 (dents)* ? », me demande-t-il.

– « *Oui, je crois, mais j'ai aussi trois plateaux à l'avant.* »

– « *Un 32 ?* »

– « *Je n'en sais rien, probablement.* »

– « *Parce que ça grimpe bien ici et vous n'avez pas fini...* »

Il connaît manifestement le vélo. Comme ils arrivent de la direction opposée, ce n'est pas vraiment rassurant. Après quelques minutes de discussion, ils reprennent la route. Je fais le tour de la chapelle qui est fermée. La petite cour qui l'entoure est proprette et la vue est divine. Je ne traîne pas trop longtemps, vu le boulot à faire.

Finalement, tout se passe bien sur la route et j'aperçois la petite pancarte indiquant la petite route pour Arvi plus tôt que je m'y attendais. Un coup d'œil sur l'altimètre pour réaliser que je suis rendu à sept cents mètres d'altitude. J'amorce les douze kilomètres de descente. Yahou!

❋

Quelle route extraordinaire, tout en lacets avec de magnifiques vues qui se succèdent sans relâche. À l'époque, Arvi semblait au bout du monde. La route qui y menait était en gravier et comme il n'y avait pas de service d'autobus, la descente à pied était obligatoire. Je m'en souviens comme si c'était hier. Quand j'avais entrepris cette longue descente, un couple âgé, en pleine cueillette d'olives, m'avait salué et je leur avais répondu. Puis, ils m'avaient fait signe avec insistance d'aller vers eux, et ce, à la façon locale, c'est-à-dire en envoyant la main du haut vers le bas, ce qui porte à confusion quand on ne sait pas. Je les vois encore bien tous les deux avec leur âne, une bâche étendue à terre et dessus, un sac de provisions.

Le temps avait posé son empreinte sur tout ce qui les entourait, le sac, l'âne, la selle, les vêtements qu'ils avaient sur le dos et leur visage buriné par le vent et le soleil. Pourtant, une sérénité se dégageait de l'ensemble.

Je me souviens qu'après avoir épuisé toute la conversation que je pouvais avoir en grec, c'est-à-dire mentionner que je venais du Canada, qu'il y fait très froid et que le paysage ici est magnifique, ils m'avaient offert avec insistance un bout de pain, un plat d'olives et un verre de vin. Un geste totalement gratuit de gens manifestement pauvres. Je m'étais assis et j'avais mangé et bu lentement leur offrande pendant qu'ils continuaient la cueillette méticuleuse de leurs petites pépites noires. Une autre toile était étendue au sol pour accueillir les olives. Avec un bâton, ils frappaient délicatement les branches afin d'y détacher les olives. L'âne stoïque complétait cette scène biblique. Après avoir fini mon petit repas, nous nous étions salués chaleureusement, chacun retournant dans son monde. Cette scène est restée bien vivante dans ma mémoire malgré tout le temps écoulé. Aujourd'hui je me dis que ce n'est pas un bout de pain, quelques olives et un verre de vin qu'ils m'ont alors offerts sans rien attendre en retour, mais une grande leçon d'humanité. En fait, c'était un geste profondément spirituel qui a été malheureusement lavé de son sens au fil des cérémonies religieuses répétitives. Les décennies écoulées depuis cette rencontre n'ont effacé ni leur présence ni la portée de leur geste sur l'homme que je suis devenu. Que leurs âmes reposent en paix.

❧

Après ce moment de recueillement, je poursuis la descente. Je ne peux prendre de la vitesse, car la route est sinueuse à souhait. Régulièrement dans les virages, un monument en forme de petite chapelle me rappelle à l'ordre : elles sont dédiées à quelqu'un décédé à cet endroit ! Une d'entre elles est spécialement mignonne, une vraie miniature faite de petites pierres taillées. J'arrête constamment prendre des photos tant le paysage est beau. Peut-être la plus belle descente de vélo de ma vie.

Arrivé à Arvi, c'est le choc. On a construit une immense marina en béton avec un brise-lames qui coupe la vue sur la mer. Un hôtel moderne accueille le touriste. Il faut savoir qu'à l'époque c'était le bled perdu par excellence. Il n'y avait même pas un café et, en Grèce, c'est tout dire.

Je fais un petit tour du village sur ma monture. Le relief n'a pas changé. Le village est coincé dans une vallée sinueuse au milieu de laquelle coule un ruisseau. Au fond, une immense falaise fendue en deux. Accroché à la paroi, un monastère. Pour une fois, je retrouve rapidement et avec grande surprise certains repères : la maison de Barbayannis, maintenant abandonnée, et celle des Françaises bien intacte et apparemment habitée.

Avant de visiter, je pars à la recherche d'un hébergement. La tâche s'avère compliquée: tout est fermé et personne ne parle d'autre langue que le grec. Après avoir fait deux, trois fois le tour du village et être passé par plusieurs intermédiaires, je finis par trouver un hôtel.

Après m'être installé, je vais à la plage et je me sauce dans une eau transparente et froide. La plage est déserte, exception faite d'un groupe de jeunes garçons qui tuent le temps. Puis, j'entreprends mon pèlerinage. Tout d'abord la maison de Barbayannis, un homme chez qui j'avais mes habitudes. Il n'y a pas moyen de se tromper : elle est située sur le bord du ruisseau à l'endroit où la route le traverse. Il habitait à l'étage. L'escalier en pierres est couvert d'herbes et le terrain sert d'entrepôt pour les tuyaux que l'on voit partout et qui servent à irriguer les serres, omniprésentes. Le toit est défoncé. Personne n'y vit depuis des lustres.

❀

Barbayannis était un original. Au moment où je l'ai connu, il avait dans la soixantaine avancée et peut-être même plus. Il était originaire du nord de la Grèce et était mal accepté dans ce coin perdu où les gens se méfient des étrangers. Pourquoi était-il arrivé ici ? On ne l'a jamais su. Quand je dis on, c'était la petite colonie de jeunes aventuriers qui avaient posé les pieds à Arvi. Il nous avait en quelque sorte pris sous son aile et nous enseignait les rudiments de la vie locale. Quelles plantes sauvages cueillir, quelles recettes préparer avec les produits locaux? Je me souviens particulièrement d'un lendemain de veille très pénible où il s'était occupé de moi. Il m'avait préparé minutieusement une soupe à l'ail et au riz afin de me remettre sur pied. C'était un personnage attachant, mais qui restait distant.

Notre petite colonie de voyageurs variait au fil des jours, mais le noyau dur était composé d'un couple de Québécois, Paule et Bernard, d'un autre Québécois d'origine irlandaise, Kevin, qui jouait de la guitare et que j'accompagnais à l'harmonica, et de trois Françaises chez qui je logeais. Marie-Claire était en quelque sorte la marraine, la personne forte, Thérèse la discrète et Xerxès la spéciale qui avait décidé de changer de nom pour sa vie en Crète. C'était elle l'oiseau blessé du groupe auprès de laquelle je n'avais malheureusement aucun succès. Ils avaient rafistolé deux ruines en haut d'une petite colline qui domine la petite vallée. C'est vraiment surprenant que ces maisons soient debout et encore occupées aujourd'hui.

En m'approchant, par le sentier que nous utilisions à l'époque plutôt que par la route qui a été construite depuis, je reconnais une autre maison où une vieille Grecque nous saluait toujours chaleureusement et avec qui j'avais développé une relation un peu spéciale à la suite d'une longue histoire.

❄

En courant pieds nus sur la plage, j'avais sauté sur une plaque en tôle et je m'étais enfoncé profondément dans le pied trois clous bien rouillés. Comme j'avais déjà eu des problèmes d'infection après un incident semblable, j'avais pris la décision d'aller consulter pour recevoir une injection contre le tétanos. Pour cela, il fallait retourner à Iraklion.

Le tout s'était finalement avéré plus compliqué que prévu et mon séjour en ville s'était prolongé. Je logeais à l'auberge de jeunesse dont la propreté laissait à désirer. Encore aujourd'hui, le *Guide du Routard* la déconseille pour cette raison. J'y avais rencontré une Norvégienne de Trondheim qui était en quelque sorte coincée en Grèce. Son copain était en prison dans le nord du pays à la suite d'une histoire de drogue et elle allait lui rendre visite régulièrement. Pour passer le temps, elle faisait du tricot et elle m'avait entraîné à la boutique où elle s'approvisionnait et, je ne sais trop pourquoi, j'avais acheté de la laine pour tricoter un chandail. C'était une laine locale, brute et qui piquait.

Finalement, j'étais reparti d'Iraklion vacciné, avec un sac de laine et, sans m'en rendre compte, une colonie de morpions. Quand j'identifiai finalement la source de mes démangeaisons, je consultai les membres de la colonie. Heureusement, Paule, qui avait déjà connu ce type de problèmes, emportait toujours en voyage la crème nécessaire. Mais mon mal était avancé et le verdict dur: j'avais dû me raser. Une fois le travail fait, j'avais constaté qu'il m'était à peu près impossible de marcher à cause du frottement des poils qui repoussaient. C'était donc le moment idéal pour entreprendre mon tricot. Une Française fraîchement arrivée et qui résidait près de la plage était mon instructrice – jusque-là, je n'avais jamais tricoté de ma vie.

Au cours de cette période, je faisais donc des va-et-vient réguliers entre la plage et la maison des Françaises. Plusieurs fois par jour, je devais passer devant la maison de la vieille dame grecque. Quand elle m'avait vu passer la première fois avec mon ouvrage aux antipodes des habitudes masculines locales, elle m'avait fait un grand sourire avec plein de *kalla* (bien). Chaque fois où j'étais passé par la suite, j'étais toujours accueilli très chaleureusement. Elle était probablement ravie de me voir briser à ma façon les rôles traditionnels qui étaient ici très lourds pour les femmes. Notre lien était créé. La communication s'établit parfois par d'étranges détours.

❁

Je traverse le ruisseau devant ce qui était sa maison pour grimper la butte au sommet de laquelle trônait celle des Françaises. En traversant la route tracée depuis, je vois un homme et une femme descendre du lieu que je veux atteindre. Je vais les saluer et je constate qu'ils ne parlent pas anglais. Ils sont Bulgares, et lui parle espagnol, langue que je baragouine un peu mieux que le grec. Il m'explique qu'ils vivent dans l'espèce de quadruplex au bas de la côte et qu'il y a quatre personnes qui vivent dans les deux maisons d'en haut, d'autres Bulgares. Je lui signifie que j'aimerais bien aller les visiter, car j'y ai vécu il y a bien longtemps. Il me répond qu'il n'y a pas de problème. Mais au moment où j'amorce la montée, la femme qui l'accompagne nous dit qu'il y a une femme qui dort en haut et que ce n'est pas le moment idéal. Avec mon espagnol rudimentaire, je leur signifie que je vais aller voir le monastère sur la falaise au bout de la route et m'arrêter en revenant.

En marchant, je me dis que ces Bulgares ont l'air un peu louches. Je réalise que j'ai plein d'argent liquide sur moi, car j'ai dû en faire provision pour traverser cette région dépourvue de guichets automatiques et de commerces acceptant les cartes de crédit.

Je monte au monastère situé sur la falaise qui domine le village. Après avoir grimpé toutes les marches, j'atteins la porte de la chapelle. Le lieu retiré et semi-abandonné dégage une énergie étrange. J'entre dans la chapelle. Le décor est simple et mal entretenu. Il y a longtemps, j'ai lu un livre sur les moines orthodoxes du mont Athos. Apparemment, il y a eu parmi eux un fort mouvement de rejet des écritures et un fort penchant pour la bouteille. Ceci expliquerait peut-être l'état des lieux. Le seul pope qui semble y vivre joue à cache-cache avec moi. Je fais le tour et ce n'est qu'après mon départ qu'il monte à la chapelle, sonner les cloches de dix-huit heures. Il est maintenant dix-huit heures quinze. Mais peut-être que ma visite n'a rien à y voir, les Grecs étant ce qu'ils sont, assez relax sur les règles.

Au retour, j'arrive par l'arrière de la butte et je monte directement pour faire ma visite des maisons. Je n'ose pas trop regarder de près pour ne pas déranger la femme qui dort. Les Bulgares viennent rapidement me rejoindre. Avant leur arrivée, j'ai le temps d'ouvrir la porte de la première maison qui est inoccupée. Je constate alors que c'est un poulailler désaffecté. Mais au fond on peut voir nettement les murs peints par des jeunes de mon époque. Ce sont des motifs du style hippie avec une colombe et des symboles «*peace and love*». Je me rappelle bien avoir vu cette fresque lors de mon deuxième passage. Deux Allemands occupaient la maison et dans la cheminée un feu de bois éclairait et chauffait la pièce rustique. Ce qui était original, c'est que, faute de scie, deux troncs d'arbres s'étendaient dans toute la longueur de la pièce et seules les extrémités brûlaient dans la cheminée rudimentaire. J'ai l'impression d'être un archéologue qui vient de faire une découverte. Cette époque est révolue et il n'en reste finalement que peu de chose.

Je sors de cet antre historique et mes guides bulgares arrivés entre-temps me font gentiment visiter les deux autres maisons. Celui qui parle espagnol me montre la première, petite et sombre, occupée par un lit qui prend presque toute la place et quelques étagères qui contiennent l'essentiel pour la survie. Une lampe au gaz sert à l'éclairage. Il me dit que c'est sa pièce. Bizarre, car lors de notre rencontre, un peu plus tôt, il m'avait mentionné qu'il vivait en bas en me montrant un logement au deuxième étage de la maison face à laquelle nous nous trouvions. Rien pour me rassurer.

Je jette un coup d'œil dans la maison où nous vivions, je reconnais bien l'endroit. Cette petite maison modeste avec sa cheminée a une fenêtre qui donne sur une belle vue. Elle avait une certaine classe par sa situation en hauteur. Les Françaises l'avaient emménagée avec goût et l'ensemble était coquet et invitant. C'est sûrement ce qui a permis d'en assurer une certaine pérennité.

En fait, il y avait trois maisons dont le toit était encore imperméable, grâce au polythène installé sur la couverture. D'autres ruines se trouvaient un peu plus haut et elles servaient de latrines. Bien entendu, il n'y avait pas d'électricité et nous devions amener l'eau. La grande amélioration, c'est que depuis un robinet extérieur a été ajouté.

On m'invite à m'asseoir et on discute un peu. L'espagnol de mon hôte bulgare pique ma curiosité et de mon espagnol approximatif je lui demande :

– « *Cuanto tiempo en Espana, uno ano, dos ano ?* » (Combien de temps en Espagne : un an, deux ans ?)

– « *Dos mil* » (deux mille)

– « *Dos ano* »

– « *No, dos mil* »

Deux mille ans en Espagne ? Je ne comprends pas vraiment. Rapidement, il est question du fait qu'ils n'ont pas de travail et qu'ils n'ont plus d'argent, pas de quoi manger et fumer. Plus ou moins subtilement, il me demande si je suis seul. Comme c'est le cas, il me demande si je pouvais être intéressé par la jeune « *mujer* » qui, soit dit en passant, n'a rien de bien attirant.

Je fais semblant de ne pas trop comprendre et me lève en disant que je dois partir. L'autre femme me demande si je ne pourrais pas leur donner cinq euros pour manger. Je leur en donne quinze et je fuis les lieux. Ils ont l'air bien contents. De mon côté, je suis satisfait d'avoir pu revoir ces lieux pour cette somme et de m'en sortir indemne.

En marchant, je me dis que la femme qui était censée dormir et dont on m'a offert les services était probablement au « travail » dans son lit lors de mon premier passage. Donc, elle n'était sûrement pas à cinq euros près ! Je me suis de toute évidence fait avoir.

En arrivant à l'hôtel, je cherche un truc dans mon sac de taille que je portais lors de la visite. Je ne retrouve ni la pochette où j'ai mon passeport, ni le gros de mon liquide. Moment de panique… heureusement court. J'avais rangé la pochette dans un compartiment inhabituel. Ouf !

Je soupe au resto de l'hôtel où je loge. J'apprends que c'est celui qui existait au moment de mes précédents passages. Des ajouts le rendent méconnaissable. J'ai une vue sur le petit port. Malheureusement, la digue de béton qui le protège des tempêtes nous coupe la vue sur l'horizon. Quel gâchis ! Par contre, c'est le lieu de rencontre et les gens viennent s'y promener après le repas du soir. La bande de jeunes garçons de la plage s'est déplacée. Ces jeunes coqs manifestent leur existence à coups de pétards. Rigolo au début, à la longue ça devient agaçant. Un groupe de jeunes filles, beaucoup moins bruyantes, fait le grand tour du port en discutant entre elles. Une autre marche seule en ayant une interminable conversation avec son téléphone portable. Probablement qu'elle n'aurait pu tenir les mêmes propos si elle était à la maison. Quelques hommes plus âgés discutent en petits groupes. Ce qui frappe, c'est que les groupes ne sont pas mixtes. Les hommes vivent à l'extérieur pendant que les femmes s'occupent de la maison. À ce niveau, ça ne semble pas avoir beaucoup évolué.

❄

Dans ces années-là, un aspect de la vie en Crète qui devenait irritant était ce que l'on peut appeler poliment les différences de rôles entre les hommes et les femmes. Je me souviens clairement d'avoir vu ces femmes continuellement affairées à la maison, dans les champs ou pour faire les courses. Les jeunes filles étaient invisibles, elles étaient enfermées dans leurs maisons. Pendant ce temps, les cafés et les restaurants étaient occupés par les hommes qui mangeaient, buvaient, fumaient et discutaient tout en manipulant leurs petits chapelets d'ambre. Et puis, aussi, ils courtisaient les étrangères qui passaient et qui n'étaient pas insensibles à leur charme rustique. À ce que j'en ai su, leurs habiletés sexuelles étaient également en général assez rustiques ! L'hédonisme de la Grèce antique est un phénomène qui a disparu depuis des siècles.

J'ai voyagé dans plusieurs pays latins et musulmans et j'avais observé qu'ici les rapports entre ces hommes et leurs femmes étaient particulièrement durs. D'être en contact avec ces paons qui se montraient si affables avec nous et particulièrement nos copines et de les voir par après ignobles avec leur femme devenait vraiment agaçant à la longue. Ce que je vois de ma terrasse me porte à croire que cette situation perdure, à la campagne tout au moins.

❃

Je repense à mon Bulgare, je me demande ce que voulait dire ce « *dos mil* ». J'ai finalement une illumination : il est peut-être un juif bulgare. J'ai lu récemment qu'ils parlent encore le ladino, un dialecte de l'espagnol qu'ils ont gardé lorsqu'ils ont dû fuir l'inquisition espagnole il y a cinq cents ans. Peut-être ai-je communiqué avec quelqu'un par cette langue en voie d'extinction ? Dans ce cas, les quinze euros que je leur ai versés sont finalement peu pour une rencontre aussi exceptionnelle. Une autre parcelle d'humanité qui risque de disparaître en laissant peu de traces.

Les sept cents mètres de montée de la journée me poussent rapidement au lit.

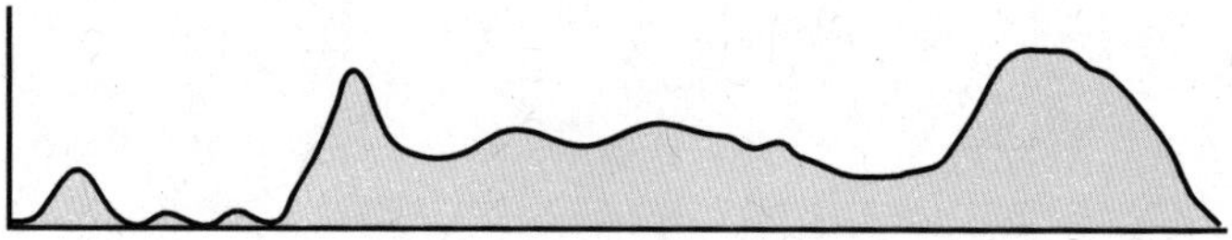

4e journée : d'Arvi à Lendas ;
95 km, 1 121 mètres de montée, avec un vent de face…

Le vélo forge la persévérance

Le vent de face obstiné,
Les kilomètres qui s'égrainent trop lentement,
Les mollets qui moulinent avec douleur,
L'objectif en tête qui s'obstine :
Une bière fraîche à destination.

Lorsque j'ouvre le rideau de ma petite chambre, je constate que le temps est incertain. Il pleut même pendant le petit-déjeuner, mais ça ne semble pas trop grave. Le patron de l'hôtel me rassure et je prends la route. Ce que j'imaginais comme une promenade jusqu'au village de Tsoutsouros, situé plus à l'est sur la côte, s'avère un peu plus difficile que prévu. À peine installé sur mon vélo, je dois me taper une grimpette de deux cents mètres de dénivelé. Consolation, ce que le guide décrivait comme un chemin de terre dans un état acceptable s'avère une route pavée en neuf. La descente en lacets est très agréable : l'asphalte est lisse comme un billard avec la Méditerranée en toile de fond.

À mon arrivée à Tsoutsouros, mon estomac réclame déjà un truc. J'arrête sur une terrasse où j'ai droit à un deuxième petit-déjeuner, traditionnel celui-là : un yogourt local, épais et crémeux, un genre de *labneh*, avec du miel. Délicieux. Un café grec pour terminer et puis j'entreprends la montée vers la route nationale.

Le paysage autour de moi est très rocailleux. Il paraît que c'est le coin le plus désertique de Crète. Quelques herbes y poussent, apparemment assez pour sustenter les moutons, il y en a plein. Je croise un joyeux troupeau qui répond à la conversation que j'engage avec eux. La montée est dure, car la pente doit bien faire douze degrés par endroits, mais il y a une récompense : le paysage est de plus en plus majestueux.

Arrivé au sommet, je constate qu'il y a une rapide descente et que j'aurai par après une quarantaine de kilomètres sur le plat. Bravo! Mauvaise nouvelle: j'aurai donc à remonter pour arriver à ma destination. La descente s'avère assez périlleuse, car il y a de violentes bourrasques de vent. Je dois tenir mon guidon fermement et j'appréhende le pire après chaque virage. De plus, la descente est abrupte et en lacets serrés, mais l'asphalte est neuf et il n'y a pas de circulation. *Think positive young man!*

Arrivé sur le plateau qui est en fait un faux plat descendant, je vole presque, car j'ai ce vent violent dans le dos: quarante kilomètres à l'heure sans pédaler. Mais le plaisir ne dure pas. Par un caprice dont seuls les dieux ont le secret, j'aboutis sur un faux plat ascendant et le vent de face. Je peine à rouler à douze kilomètres à l'heure. Le plateau est magnifique et bordé de montagnes dont certaines sont couvertes de neige. Le plaisir des yeux est toutefois tempéré par le fait que je ne vois aucune brèche dans le mur de montagnes que je devrai traverser. C'est avec ce suspense que j'avance vers Agio Deca, lieu à partir duquel j'entreprendrai la traversée de ce massif. Le temps froid et incertain ajoute à mon inquiétude et je roule sans m'attarder. Les kilomètres s'égrènent lentement et péniblement. Le vent froid, de face, ne relâche pas et le ciel est d'un gris menaçant. Pour la première fois du voyage, je roule sans plaisir. Mes muscles sont de plus en plus endoloris. Je dois continuer, car il n'y a aucun endroit pour arrêter. Je fonce en m'imaginant à l'arrivée, une bière fraîche et rafraîchissante qui coule dans mon gosier asséché.

J'arrive finalement au pied du mur: mes espoirs de brèches se sont envolés. Pas mal fatigué, je prends le temps de bien m'étirer, car mes muscles et mes articulations commencent à me faire souffrir. J'ai dans le corps plus de soixante-dix kilomètres de route avec un vent de face, incluant un col de cinq cents mètres de dénivelé. Je roule depuis neuf heures et il est quinze heures. Les arrêts ont été très courts et peu reposants à cause du temps froid et incertain.

Une voiture descend et les passagers, de jeunes touristes, éclatent de rire en me voyant avec mon vélo. Puis, un vieux camion lourdement chargé entreprend la montée et, en passant devant moi, il rétrograde avec des grincements à la plus petite vitesse. J'entends pendant un temps qui me semble interminable la plainte du moteur qui peine à monter. Joyeuses perspectives. Pas de panique, il n'est que quinze heures et j'ai tout mon temps. Malgré la fatigue, il me reste encore du jus dans les jambes.

Je commence la montée en lacets, qui est longue, très longue. Par contre, l'inclinaison est raisonnable et, en prenant un petit tempo, ça monte très bien. À chaque virage, le paysage change et je vois au loin la baie d'Agia Galini où je devrai me rendre le surlendemain. Quelques bourrasques donnent un peu de piquant, mais, comme il n'y a presque pas de voitures, je roule toujours du côté de la montagne, plutôt que de frôler le précipice.

Au sommet, j'atteins une longue corniche plate qui permet de contempler le paysage tout en accumulant des kilomètres. Malheureusement, il y a deux ou trois autres petites montées dont je me serais bien passé avant la descente. Celle-ci est vraiment super, car il y a peu de virages serrés et je peux donc prendre de la vitesse, ce qui est rare ici. Je finis par arriver à destination : Lendas. Quatre-vingt-seize kilomètres au compteur, avec deux montées de cinq cents mètres. Je suis fourbu !

Le village de Lendas est au bout du monde, tapi au creux d'un rocher au bas de la montagne. La mer agitée vient lécher le pied des bâtiments qui longent la mer. Il n'y a pas de rues, que d'étroits passages. De toute façon, c'est minuscule, une cinquantaine de résidences dont un pourcentage significatif a été transformé en hôtels ou restaurants. Je choisis l'hôtel avec balcons qui m'invite à l'arrivée.

Après un petit repos et les indispensables étirements qui feront en sorte que je pourrai continuer mon voyage, je me rends au petit bar tenu par de jeunes Allemands, qui fait aussi café Internet. La communication est très lente, mais, pour le reste, on se croirait en Allemagne. Il y a des gens qui ont peur du dépaysement, semble-t-il. Toutefois, c'est l'endroit idéal pour concrétiser mon objectif de la journée qui m'a permis de continuer à pédaler malgré la douleur et la fatigue : je commande une grande bière pression. Même deux !

Je choisis, parmi les quatre restaurants du village, celui qui fait face à l'hôtel. On y fait le service à l'ancienne, il n'y a pas de menu. La cuisinière ouvre ses casseroles et l'on découvre : aubergines farcies, moussaka, soupe aux fèves, poivrons farcis, ragoût de mouton, poisson en sauce. Tout a l'air si bon. J'opte pour la soupe aux fèves et les aubergines farcies. Le tout, bien entendu, arrosé de l'incontournable demi-litre de rouge. Seules quatre tables sont occupées, surtout par des Allemands, à l'exception d'une famille française bien absorbée par son jeu de cartes. Tout est délicieux et j'avale goulûment. La journée m'a creusé un appétit de Zorba ! Au moment de l'addition, le patron offre le raki et le dessert, un *galakabourika* – baklava farci de crème pâtissière – et un œuf de Pâques. Petite attention pour nous, car la Pâque romaine tombe le lendemain, mais la leur, orthodoxe, ne sera célébrée que la semaine prochaine.

Embarquement au port du Pirée

Ruines d’une cité de l’époque des Minoens

Les couleurs du drapeau de la Grèce : une petite chapelle blanche
et le ciel bleu cristallin

L'arrivée à Myrtos

Le paisible village de Myrtos

Virage fatidique, les chapelles en témoignent, dans la descente vers Arvi.

La maison des Françaises à Arvi où je vivais dans les années 70.

Vestige des années 70

Arvi dans les années 70

Cuisine typique de mes jeunes années crétoises

Soirée animée du bon vieux temps

Entre les Grecs et les touristes, dont plusieurs Québécois, la complicité était bonne dans les années 70.

Un vieux principe physique : tout ce qui descend doit remonter !

Le temps incertain en haute montagne offre de belles scènes au cycliste.

Gros petit-déjeuner à mon restaurant habituel de Lendas

À vue d'œil, de grands plaisirs attendent le cycliste!

Fleurs printanières, oliviers et ciel grec : que demander de plus !

Vélo, vignes et montagnes : quel beau mariage !

Un très vieil olivier. Millénaire?

Mâles crétois à leur poste de travail : raki et amuse-gueules

Descendre dans le gouffre de roc : une expérience vertigineuse. Yahou !

L'auberge de jeunesse de Plakias

Mon copain pour le lunch

La circulation dans les montagnes peut parfois poser des problèmes.

Pas d'enseigne, mais des tables qui indiquent que c'est le temps de la pause-café…
sur la route.

Après cette montée, plus de route,
seuls les traversiers peuvent contourner ce massif abrupt.

La rue principale de Loutro

Les gorges de Samaria offrent des randonnées pédestres monumentales.

Cette chapelle se trouve
à 700 mètres d'altitude,
au-dessus de Palaiokhora.

Un escabeau pour chèvres

La maison du Québec
à Palaiokhora

Course de vélo en Crète :
le Québec est en tête !

5e journée : repos à Lendas

Journée de congé à la plage

Je n'ai plus mal nulle part
Je dois être mort !

Dès mon réveil, mon estomac manifeste son impatience. Je retourne au resto de la veille pour le petit-déjeuner. Je choisis les œufs à la grecque. Revenus dans l'huile d'olive, on les arrose de citron frais. Ce matin ils me les servent avec du feta et des tomates. C'est un délice accentué par la qualité des œufs de ferme frais, dont le jaune, presque orangé, est très goûteux. Pour deux euros cinquante, je suis très content.

Aujourd'hui, c'est congé de vélo. De toute façon, je ne veux pas le voir. La journée de la veille a été éreintante. Une petite pause fera du bien à notre couple.

Je marche dans le village qui est bien endormi, nous sommes hors saison. Ce doit être bien différent en été. Les hommes grecs occupent maintenant les quatre restos du village. On ne sait trop ce qu'ils ont tant à se dire, mais il semble qu'une partie significative de la vie de l'homme crétois se passe assise autour d'un café ou d'un raki à discuter avec ses copains. Pendant ce temps, les femmes voient aux tâches ménagères, aux enfants, au jardin et probablement plus encore. Au moins ainsi, les hommes ne sont pas dans leurs jambes.

Lendas est situé au creux d'un immense rocher. De l'autre côté, il y a un hameau et je décide d'y aller. C'est à un kilomètre de marche. En arrivant, je débouche sur une belle plage de sable gris. Quelques campeurs s'y sont installés. Selon le *Guide du Routard*, c'est interdit, mais ça semble toléré. À deux cents mètres, il y a le café-resto qui offre l'Internet. Le meilleur des deux mondes.

Une vingtaine de personnes sont éparpillées sur la plage et je vais en profiter pour faire une étude sur les coutumes locales en ce qui concerne le textile porté par les baigneurs, et plus spécifiquement par les baigneuses. En m'approchant, je constate qu'il y a un homme âgé et un jeune couple qui font du bronzage intégral. Au moment où je passe, le jeune homme du couple applique généreusement de la crème solaire sur sa copine en s'attardant longuement sur ses fesses. Il a bien raison. Elle les a bien jolies, rondes et fermes comme des ballons de hand-ball. Je les laisse au loin et enfile mon maillot de bain. Un coup de soleil aux fesses serait désastreux dans mon cas.

Je vais me baigner, l'eau est froide et ça me fait le plus grand bien. Mes courbatures des derniers jours disparaissent. Je m'étends au soleil, il y a une douce brise. Le son régulier des vagues berce le moment. Au loin, les pales des éoliennes tournent nonchalamment. Le bain d'eau glacé a eu raison de mes muscles et de mes jointures endoloris, je n'ai mal nulle part. Je dois être mort !

Après cet assoupissement divin, je pars et je remarque que les voitures, cinq ou six, stationnées sur le bord de la route sont toutes, sauf une, des voitures de location pour les touristes. Elles sont faciles à reconnaître : ce sont de petites voitures asiatiques récentes, que la population locale n'utilise pas. Toujours un peu drôle de voir ces géants nordiques dans ces petites boîtes. L'auto qui détonne est une grosse BMW d'un gars du coin. J'imagine que c'est l'homme qui est arrivé peu avant que je ne quitte la plage et qui est allé se rincer l'œil tout près du jeune couple nu, en gardant tous ses vêtements malgré la chaleur. Connard !

Au souper, soir de Pâques, le plat de résistance s'impose : ce sera de l'agneau. En soulevant les couvercles des marmites, je me laisse tenter par une entrée chaude, un genre de bouillie d'artichauts et de grosses fèves fraîches, des gourganes en fait, avec quelques morceaux de poireaux, le tout dans une sauce à l'huile d'olive et au citron. Divin.

Un jeune couple avec un bébé est assis à côté de moi. Elle est allemande et lui américain. Ils enseignent les arts à l'Université américaine du Caire et se plaignent de leurs étudiants sans envergure, des membres des familles des dirigeants du pays. Le jeune bébé est spécialement mignon et sociable. Pendant qu'ils mangent tranquillement, les clients se le passent et lui font des grimaces et mimiques auxquelles il répond par un rire contagieux. Après avoir dévoré mes côtelettes d'agneau savoureuses et bien rosées, je prends mon tour de garde auprès du bébé, avant d'aller rejoindre Morphée.

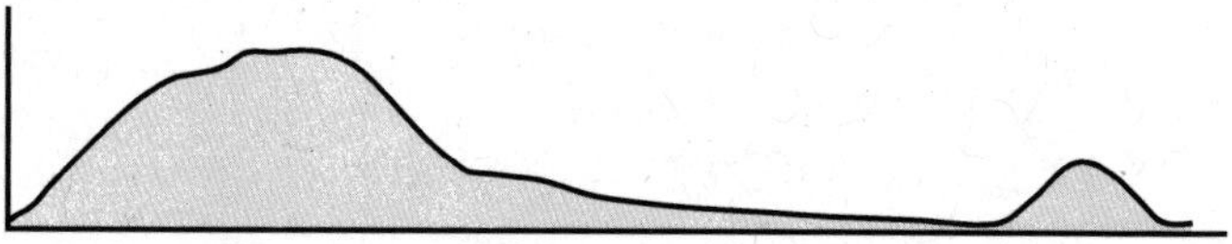

6e journée : de Lendas à Agia Galini ; 57 km, 686 mètres de montée

La bonne époque

Vous y étiez à ce moment!
Bonne idée,
Car depuis, c'est changé.

Le lendemain, je déjeune à mon resto habituel. Les patrons, discrets, mais sympathiques, sont à leurs postes respectifs : lui est au service et elle aux chaudrons, selon le partage des rôles en vigueur ici. Ils y étaient quand je suis parti me coucher, ils y sont quand je me lève et ce sera ainsi sept jours par semaine, cinquante-deux semaines par an. Quelle vie !

Je déjeune à la façon crétoise : un yogourt sur lequel on a déposé une généreuse couche de miel local très parfumé et légèrement granuleux. Parfait pour ne pas m'alourdir avant la montée qui m'attend.

À 9 h 30, je monte sur mon vélo et j'enfonce avec peine mes pédales : la montée commence par un raidillon sadique pour mes muscles encore froids. Mais vite, l'inclinaison devient raisonnable et je monte régulièrement et sans peine. Je m'arrête souvent, pas tant pour reprendre mon souffle que pour prendre des photos, tant le paysage varie avec l'altitude. Au détour d'un virage aveugle, je croise un troupeau de moutons sans surveillance, qui prend son temps au milieu de la route. Lorsque je m'approche d'eux, ils fuient, pris de panique.

Arrivé au sommet, j'atteins un petit hameau avec un café où traînent trois hommes d'un âge avancé. J'arrête, car c'est l'heure de ma pause-café grecque et la scène est invitante, la vue époustouflante. Quand je m'installe dans le minuscule parc qui sert de terrasse au café, les trois hommes font comme si j'étais transparent. Pas un regard, pas une salutation, rien. Néanmoins, la patronne sort de la pièce sombre, traverse la rue étroite et vient prendre ma commande. Elle est légèrement barbue et habillée en vêtements aussi fatigués qu'elle. Un petit coup de laveuse ne serait pas un luxe, mais peut-être craint-elle que ses hardes ne survivent pas à cette épreuve. Par contre, le café est bon et le prix imbattable, un demi-euro. Je ne m'éternise pas et je reprends la montée qui s'achève.

Puis c'est la longue descente. J'arrête régulièrement afin de prendre encore des photos. De ce côté, le paysage est différent de celui de la montée, où la mer et les paysages arides dominaient. Ici, on voit les montagnes pierreuses, mais aussi la vallée fertile et des sommets enneigés au loin.

Arrivé dans la vallée, surprise, je croise deux cyclistes. Ce sont des Allemands, dans la soixantaine avancée, qui roulent en vélo de montagne et portent chacun deux énormes sacs. Bien qu'ils aillent dans la direction opposée à la mienne, je les rattrape afin de discuter un peu. La dame qui traîne derrière son partenaire masculin est volubile. Elle parle français et me raconte qu'ils font un voyage de trois semaines en vélo en Crète. Par contre, lui pédale comme un métronome et donne l'impression de ne surtout pas vouloir être dérangé dans sa prestation. Je n'insiste pas et ne tarde pas à faire demi-tour pour reprendre ma route.

Ce passage est un grand plaisir : faux plat descendant et vent de dos. Je roule dans un véritable jardin d'éden, des oliviers, des vignes, des cultures maraîchères et des orangers en fleur qui dégagent un parfum incroyable. Au loin, les sommets enneigés, et, comme d'habitude, une circulation éparse et un bitume d'assez bonne qualité. Comme dirait mon père : « *On va finir par payer pour ça* ».

C'est ce qui ne tarde pas à arriver. Pour la première fois de ma vie, je fais une crevaison double, mes deux pneus sont presque à plat. Heureusement, j'ai trois chambres à air en réserve et une petite trousse de réparation. Comme je suis un peu paresseux, je me contente de regonfler mes pneus, qui semblent tenir le coup…

Pour la première fois depuis le départ d'Ierapetra, la circulation se fait plus dense quand je traverse deux petites villes : Mires et Timbaki. Mes pneus se dégonflent lentement et je dois les remplir d'air avant d'entamer la dernière montée de la journée. Le soleil cogne et je réalise que faire du vélo ici, en été, ne doit vraiment pas être une bonne idée. Après cinquante-sept kilomètres et près de sept cents mètres de montée, j'arrive à destination, le village d'Agia Galini.

Un hôtel est fortement recommandé par le *Guide du Routard*. Il est situé à l'entrée du village, sur le bord de la route qui le surplombe. Quand j'y arrive, je le trouve bien inspirant. Perché au-dessus du village, il est tout blanc avec les portes et fenêtres du bleu traditionnel grec. Une terrasse avec quelques tables et chaises fait office de lieu de rencontre, mais il n'y a personne. Une vieille cloche sert à appeler le patron, mais, quand je l'actionne, personne ne vient. Une petite cuisine collective est ouverte et le tout est propre et coquet. Un panier plein de citrons m'invite à me faire un grand verre de limonade que je sucre généreusement.

J'en profite pour changer et réparer mes deux chambres à air. Le patron se pointe quand je suis en pleine action, les mains pleines de graisse et mon matériel de réparation étalé sur toute la terrasse. Il est accompagné d'une Allemande à l'air un peu perdu. Bel homme dans la cinquantaine, il a l'air relax et me salue de façon sympathique. Je tente de négocier une chambre au deuxième avec de belles fenêtres qui donnent sur la mer pour vingt euros, mais il est inflexible. À ce prix, je dois prendre une chambre au rez-de-chaussée, ce que je choisis. De toute façon, je n'y resterai pas longtemps, d'autant plus que l'Internet n'est accessible que sur la terrasse. Je constate que la connexion est excellente, ce qui n'avait pas toujours été le cas depuis le début de mon périple.

Quand il apprend mes origines, le patron me raconte qu'il a déjà accueilli plusieurs touristes québécois et qu'il a apprécié cette clientèle. À «mon» époque, nous étions étrangement très nombreux sur l'île. Quand je mentionne mes deux voyages en Crète, en 1976 et 1978, c'est avec un grand sourire que le patron me répond:

– «*Ah c'était les meilleures années, depuis ici, ça a beaucoup changé.*»

Je comprends aussi que s'il a connu plusieurs Québécois, ce sont surtout des Québécoises. D'ailleurs, je soupçonne que sa relation avec l'Allemande n'est pas seulement professionnelle. Selon lui, les commerçants ont beaucoup enlevé de cachet au village. Le résultat est que toute une clientèle ne vient plus. La force de l'euro a fait le reste. À l'époque, il y avait des touristes tout l'hiver, maintenant, c'est désert.

J'installe mes maigres bagages dans ma chambre et profite du wi-fi de la terrasse. Pendant que je rédige un message, arrive un couple d'Allemands. La femme, une grande et jolie blonde, prend les devants et se présente au patron comme une grande amie de Clara. Le patron a un sourire un peu gêné et les invite à s'asseoir avec lui à une table juste à côté de la mienne et leur offre l'ouzo. Malheureusement, je n'ai pas droit à l'apéro. La dame est volubile et elle fait preuve de l'arrogance des gens de pays riches qui visitent des pays qui le sont un peu moins. Je tente de ne pas trop porter attention à leurs propos et continue mon clavardage.

Au bout d'un moment, je décide de descendre au village pour pouvoir m'offrir moi-même l'apéro. La petite localité est située sur une pente abrupte avec des passages en escaliers. Il devait être bien charmant à l'époque. Aujourd'hui, c'est une suite ininterrompue de restos, de cafés et de boutiques de souvenirs. Il semble que cette infrastructure touristique est surdimensionnée, car tout est presque vide.

J'entre dans une petite boutique et je constate que le raki que les restaurateurs nous offrent généreusement se vend quatre euros le litre. La Grèce s'est modernisée et son état s'est gonflé. Par contre, il semble qu'ils aient oublié de le financer. C'est ce qui amènera la grave crise financière qui va ébranler le monde l'année suivante.

En cherchant un peu on trouve ici et là un resto ou un café ayant gardé le cachet d'antan. C'est dans l'un d'eux, que m'a recommandé Yannis, le patron de l'hôtel, que je vais souper.

Seul, un couple allemand y mange. La dame, dont le regard flou suggère qu'elle a déjà quelques apéros dans le nez, me recommande vivement d'y rester, car la bouffe est très bonne. L'éclairage au néon atteste de l'authenticité de l'endroit. Je m'installe et j'opte pour le lapin braisé à la crétoise, précédé d'une classique salade grecque. Celle-ci a des airs de salade niçoise. Le patron y a rajouté un œuf dur, des olives légèrement séchées, et le tout a été déposé sur un lit de laitue fraîche et savoureuse. Le lapin en ragoût dans une sauce tomate avec des pommes de terre est vraiment délicieux.

En discutant à bâtons rompus avec mes voisins de table, j'apprends qu'ils sont des habitués de l'endroit. C'est elle, une Suédoise d'origine, qui venait ici à la bonne époque et ils ont pris l'habitude d'y fuir la grisaille de l'hiver allemand.

Une Allemande, une vraie celle-là, arrive avec ses deux jeunes filles d'environ trois et cinq ans. J'apprends que c'est la famille du patron, qui est dans la cinquantaine avancée et il en semble bien fier. Les filles et leur mère vivent en Allemagne et le père ici. Il cultive presque tout ce qu'il sert, car il exploite une petite ferme à côté, et tout est effectivement délicieux. Son travail doit le tenir bien occupé avec pour résultat que ses filles le traitent comme un étranger. Triste.

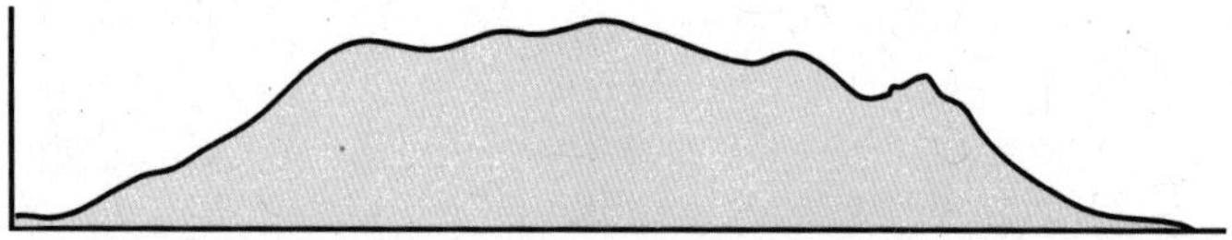

7e journée : d'Agia Galini à Plakias ; 57 km, 686 mètres de montée

La descente du gouffre

Dans le ciel gris,
De gros nuages se chamaillent,
Les sommets enneigés limitent l'arène,
En bas, tout en bas,
Un cycliste mouline, insouciant,
Fourmi insignifiante dans cet univers.

DEBOUT AU PETIT MATIN, je me laisse réchauffer par le soleil et je profite de la cuisine collective, impeccable, pour me préparer un café grec accompagné d'un yogourt de brebis acheté la veille.

Au moment d'installer mes bagages sur mon vélo, je constate que mon pneu avant est encore à plat. C'est celui-là même qui m'avait causé des problèmes la veille. Je remplace la chambre à air par une de celles que j'ai réparées la veille et je tente de trouver la fuite sur celle que je viens d'enlever. Sans succès. J'avais probablement mal vissé la valve. Enfin, je l'espère.

Puis arrive le patron, suivi d'une femme qui trimballe le nécessaire pour faire le ménage des chambres. Je soupçonne que c'est en fait sa femme. Les rôles sont bien définis, elle s'occupe de l'entretien des lieux, très bien d'ailleurs, et lui s'occupe de la clientèle, avec des attentions spéciales pour les jeunes femmes.

Après avoir fait mes adieux au patron, je reprends la route sous un ciel radieux. Toutefois, en prenant le virage pour m'éloigner de la mer et faire face aux montagnes, je constate que les nuages sont omniprésents. Ils semblent se disputer avec les montagnes afin de savoir qui aura le dessus. Au loin, les sommets enneigés semblent avoir capitulé, mais d'autres moins imposants et plus près de moi résistent.

La route est bordée d'oliviers dans une vallée qui monte lentement, mais sans fin. En observant les oliviers, je remarque qu'ils ont des troncs immenses et torturés, signe de leur grand âge. Il paraît que certains sont si vieux qu'ils peuvent dater du temps de Jésus-Christ.

Pendant que je médite en moulinant, les nuages semblent prendre un avantage marqué dans leur lutte avec les montagnes. Il tombe même quelques gouttes. J'en profite pour mettre mon imperméable et mon pantalon de pluie qui ne m'avaient pas encore servi. Heureusement, les quelques gouttes s'avèrent sans suite et je dois retirer mon équipement imperméable, trop chaud pour la montée qui s'éternise. J'ai un vent de face persistant qui s'engouffre dans ce col et me rend la tâche pas mal ardue.

En montant, les oliviers disparaissent peu à peu, et le vent et le froid deviennent plus présents. Je suis entouré de parois de roc gris, tacheté de différents herbages verts. Ceux-ci semblent avoir été placés aux endroits les plus impossibles afin de mettre au défi les chèvres de montagne. Celles-ci le relèvent avec panache et grimpent pour se sustenter. C'est vraiment fascinant de les voir se déplacer sur ces parois rocheuses avec leurs sabots qui n'ont rien d'adhérent, à ce que je sache.

Petit à petit, le temps gris, le froid, le vent de face et la montée qui ne veut pas finir rendent la journée un peu pénible. Jusqu'au moment où j'arrive dans la petite ville de Mixorouma, assez jolie, ce qui est rare en montagne. En effet, depuis mon départ, autant les villes et villages situés sur la côte sont touristiques autant ceux des montagnes sont austères et délabrés.

Ce point est également le début de la longue descente vers ma destination, Plakias. La ville est touristique, mais pas trop. J'y vois des boutiques d'artisanat et d'objets locaux et qui sont de bon goût pour une fois. J'arrête à la boulangerie où les patrons continuent interminablement leur discussion, comme si je n'existais pas. Je finis néanmoins par obtenir une pâtisserie chaude fourrée au fromage, recouverte de sésame, qui s'avère délicieuse.

Un ruisseau est aménagé en fontaine au centre du village, créant un lieu agréable. À côté, un petit café typique. Je m'y arrête, car c'est l'heure de mon *metrio*. Mon premier réflexe est de m'installer sur la terrasse, mais, en voyant le poêle à bois qui chauffe à l'intérieur, je décide d'entrer. L'accueil est plus chaleureux qu'à la boulangerie. Trois Grecs, âgés entre soixante et quatre-vingts ans, sont assis à leur « poste de travail », c'est-à-dire attablés devant une carafe de raki, trois petits verres, trois grands verres d'eau et des accompagnements. Cette fois-ci, ce sont des quartiers de tomates et bien entendu un cendrier, les Grecs fumant encore à un rythme infernal.

Après un *yasou!* bien senti, je commande mon café *metrio* et le plus jeune des trois comparses, qui parle anglais, me suggère plutôt de prendre un raki. Je lui réponds que le raki n'est pas très compatible avec le vélo, et que je m'en offrirai un quand j'arriverai à destination. On parle un peu et il traduit pour ses comparses. La discussion entre eux est bien animée.

Quand vient le temps de payer, le patron m'annonce que mon nouvel ami m'a offert la consommation. Je l'en remercie et j'en profite pour prendre le joyeux groupe en photo. Depuis mon départ, j'ai pris énormément de photos de paysages, mais peu des gens que j'ai croisés sur ma route. Je m'étais dit le matin même qu'il était temps de changer mes habitudes, voilà justement une première occasion.

Après Mixorouma, c'est la descente qui s'amorce. Après quelques kilomètres, je dois laisser la nationale pour aller vers Plakias. À partir de ce moment, la route s'enfonce dans une vallée verdoyante et rétrécit graduellement. La route fait de doux méandres. Malgré la pente, je dois pédaler tant le vent de face est fort. À un moment, la vallée s'étrangle entre deux rochers, un virage serré annonce l'entrée dans une gorge. Quand je passe le virage, c'est le choc : j'ai devant moi un mur d'au moins six cents mètres de haut. C'est d'autant plus spectaculaire que c'était inattendu. Un spectacle à se jeter par terre. Inutile de le faire, car de fortes bourrasques essaient de m'y entraîner. Le vent qui persiste et le ciel gris ajoutent une touche dramatique à cette gorge de roc. Seule trace de vie dans ce monde hostile, quelques chèvres de montagne errent en bordure de la route.

Ce passage est souligné en vert sur ma carte routière, indiquant ainsi une route panoramique. C'est la deuxième depuis la descente vers Lendas. Il semble que la personne qui a la tâche d'identifier les plus beaux paysages a l'œil bien aiguisé et que rien ne lui échappe.

Après ce passage dramatique, la descente se poursuit et le soleil revient. Je glisse dans un immense cirque bordé de montagnes. Nous arrivons dans la région la plus montagneuse de Crète, près de l'endroit où les quelques villages côtiers ne sont accessibles que par bateau, la construction de routes étant impossible ou trop coûteuse. Ce sera la partie croisière de ce voyage. Je n'ai pas encore atteint le port d'embarquement, il y a une soixantaine de kilomètres à parcourir, et je dois encore franchir ce magnifique mur – ce sera pour un autre jour. De plus, il y a quelques routes tracées en vert d'ici Chora Sfakion, le quai d'embarquement, aussi bien en profiter.

Je me rends à l'auberge de jeunesse située en retrait, à l'arrière du village. C'est un ensemble de petites maisons toutes blanches assises dans une pelouse bien verte ! Exotique. Il n'y a personne et je vais m'installer et prendre une douche. Je suis frais et dispo juste à temps pour l'apéro. Je me joins à une tablée de jeunes. Il y a un souriant Canadien, qui étudie en Suisse, Gerald. Un géant qui fait de la randonnée et qui rappelle un peu le champion de natation Michael Phelbs. Il a toutefois les oreilles moins spectaculaires. Je rencontre aussi une Américaine férue de vélo, qui étudie l'archéologie à Athènes et qui est jalouse de mon aventure. Sa copine, également Américaine, d'origine chinoise, étudie l'administration à Londres et rêve d'aller vivre en Chine. Je croise aussi une Hollandaise étudiante en art et qui espère pouvoir en vivre après ses études. Belle jeunesse pour qui le voyage et la découverte du monde sont partie intégrante de leur formation et de leur cheminement professionnels. Tout le contraire de la « *Zeitgeit* » de mon époque où le voyage était une façon de vivre en marge et nous réservait souvent de mauvaises surprises quand venait le temps de payer la note.

Après quelques bières, j'accompagne le groupe et nous nous rendons dans le restaurant qu'a choisi Gerald. Il est situé sur une terrasse juste au bord de la mer. Malheureusement, la nourriture y est vraiment quelconque. C'est la première fois du voyage que je suis déçu de mon repas. Donc, tous les restos en Crète ne sont pas bons et je sais faire la différence entre un bon plat et un mauvais !

On a beaucoup parlé et écrit sur le régime alimentaire méditerranéen, celui de la Crète en étant la quintessence. Beaucoup de fruits et légumes, de l'huile d'olive en abondance, peu de produits laitiers et de viande. Peu après mon séjour, j'ai été surpris par une statistique : les hommes grecs étaient ceux qui avaient la plus longue espérance de vie au monde. Par contre, les femmes grecques y figuraient moins bien. J'en avais déduit que le régime alimentaire était un facteur, mais que les théories de Laborit trouvaient ici une certaine confirmation : la présence d'un bouc émissaire favorise la longévité. Depuis, l'augmentation de la consommation de viande liée à l'enrichissement, le tabagisme et l'évolution de la situation de la femme ont eu des impacts certains. Les Crétois n'ont pas l'air en bonne santé.

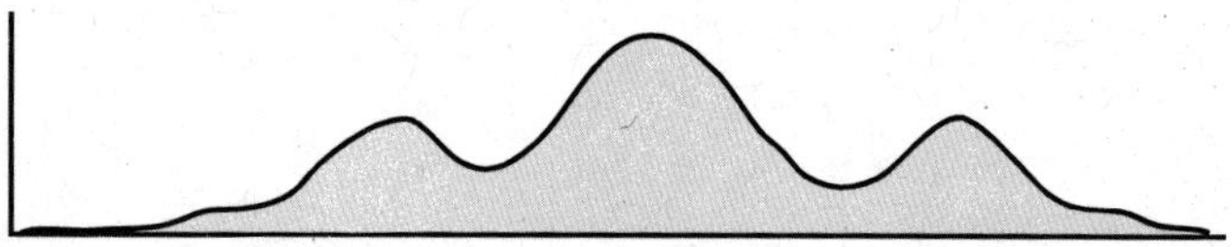

8e journée : la boucle du monastère ; 42 km, 300 mètres de montée

Le chant des moines

Voix des hommes
Voie vers soi.

Comme je suis en attente d'une communication importante en provenance du Canada et que je suis certain d'avoir ici les outils de communication nécessaires, à savoir un téléphone et l'Internet, je décide de rester à Plakias quelques jours. Je vais faire quelques boucles autour de la ville : il y a plein de routes marquées en vert sur ma carte. De plus, l'auberge de jeunesse est sympa et bon marché. Elle me rappelle mes voyages de jeunesse.

Le premier circuit me mène au Monastère de Prévéli, qui est, selon ma carte, un des lieux à voir en Crète. Je dois refaire une partie de la montée que j'ai descendue la veille. Il fait un temps magnifique, beau soleil pas trop chaud, mais le vent est insistant. Décidément, c'est un pays de vent et j'en ai la confirmation chaque jour ! Je traverse un petit village assez charmant qui annonce une « réserve » pour ânes. Je fais le tour du village quelques fois pour trouver l'endroit. En vain, ce lieu n'existe plus.

Les ânes, voilà un des symboles de la Crète de jadis qui a pratiquement disparu du paysage. Autrefois omniprésents, ils transportaient les paysans qui montaient de côté sur une selle rustique. L'âne servait comme monture pour se déplacer en montagne, transporter le foin, les sacs d'olives au retour de la cueillette… On n'entend plus leur plainte si caractéristique et qui résonnait dans les villages. Comme un long soupir pour se plaindre de leur condition modeste comparativement aux magnifiques chevaux arabes. Depuis que je roule sur les routes de Crète, je peux compter les ânes que j'ai croisés sur les doigts d'une seule main. Même la réserve d'ânes est maintenant fermée.

Je reprends mon parcours. Je dois emprunter la bretelle qui mène au monastère. Il est complètement isolé au bout d'une petite péninsule, mais son histoire en fait un lieu très connu dans toute la Grèce. C'est là qu'est né le mouvement d'indépendance face à la Turquie. Par après, pendant la Seconde Guerre mondiale, les moines ont piloté un important réseau d'entraide parmi la population afin de cacher les soldats de l'Empire britannique restés coincés sur l'île après l'invasion allemande. Ils ont finalement pu être évacués sains et saufs par des sous-marins alliés venant accoster la nuit.

Après une courbe apparaissent les ruines du vieux monastère. L'ensemble est un imposant amalgame de bâtisses grises, certaines en bon état, comme l'église, d'autres moins. De façon patiente, mais inexorable, le temps fait son travail de remise à l'état naturel des constructions humaines. Le fond de montagnes grises et vertes donne un tableau très impressionnant et je me régale à l'idée de m'approcher pour y faire peut-être LA photo du voyage. Malheureusement, le tout est clôturé et une affiche indique clairement qu'il est interdit de pénétrer dans ce lieu saint.

Je me résigne et tente de trouver, de l'autre côté de la clôture, l'angle idéal. Pendant ma séance de photos, je suis surpris par une famille de néo-hippies qui descend pieds nus la route, dans un lourd silence. Un homme au teint foncé, dans la vingtaine, un Grec probablement, une femme blonde, allemande sans doute, et une enfant à vélo, fruit de ce mélange. Ils ont tous les cheveux longs à la rasta, des *dreads*, la peau du visage buriné par le soleil. Leur visage est fermé et sans expression. Ils portent des vêtements défraîchis d'allure indienne. Je les salue et ils me répondent d'une façon qui annonce clairement que notre conversation va s'arrêter là. Je les regarde s'éloigner de leur rythme régulier et décidé. Le fait que l'enfant soit à vélo sur la pente descendante leur facilite la tâche. Une scène à la Fellini.

Après avoir digéré cette apparition aussi soudaine que surprenante, je rembarque sur ma monture et continue la douce montée. Peu avant le monastère, un mémorial a été construit au bout de la péninsule. Je m'y arrête et, lorsque je pose le pied à terre, un calme absolu s'abat sur moi. Je suis au bout de tout. La vue tout en hauteur sur la mer et les montagnes est grandiose. Le bruit de vent et le grondement lointain des vagues ajoutent à l'impression d'immensité. Le sol est rocailleux et dénudé, seules quelques broussailles y poussent. Une brebis broute obstinément. Ses mouvements de tête brusques montrent les difficultés à trouver une pitance acceptable au milieu de tous ces chardons et de cette rocaille. Son petit agneau, tout noir, tourne autour en l'imitant. Plus haut, profitant des courants d'air ascendants, trois immenses oiseaux de proie tournent lentement autour du sommet de la montagne et observent la scène avec intérêt.

Après quelques minutes de méditation dans ce lieu qui semble suspendu entre ciel et terre, je reprends mon vélo pour atteindre le monastère. Le lieu est joli, mais un ajout plus récent aux vieux bâtiments enlève du charme à l'ensemble. Je pose mon vélo et j'enfile le pantalon obligatoire pour les visiteurs. L'entrée coûte deux euros cinquante. Malheureusement, on ne peut faire de photos. À l'entrée, une fontaine d'allure contemporaine : une plaque indique qu'il s'agit d'un don du gouvernement d'Australie pour souligner la reconnaissance éternelle envers les moines qui ont sauvé leurs soldats. Elle est à sec !

Les vieilles habitations des moines ont des murs de pierre, percés de fenêtres et de portes en bois sur le point de rendre l'âme. De petits panneaux nous invitent à respecter l'intimité des moines. Puis il y a l'église, si semblable et en même temps si différente des églises catholiques de mon enfance. Un moine, plutôt bel homme dans la trentaine, portant une barbe noire, effeuille délicatement des branches de laurier. Nous échangeons un bref regard. Les monastères orthodoxes sont souvent situés à l'écart, pour ne pas dire dans des coins complètement perdus, et les religieux doivent être jaloux de leur solitude. Je n'insiste donc pas pour entamer une communication.

Après l'église, au centre du monastère et au creux d'une douce dépression, j'atteins une vénérable fontaine qui date des années 1700. Contrairement à la précédente, l'eau y coule en abondance !

Un petit musée regroupe les trésors d'art sacré du coin. On y voit plusieurs icônes dont certaines ont plus de quatre cents ans. En bruit de fond, la sono laisse échapper des chants religieux des moines. Les instruments de musique étant proscrits dans le rite orthodoxe, les chants religieux s'y sont beaucoup développés, créant ainsi un riche répertoire pour voix masculines, qui ne se limite pas aux œuvres religieuses. Le tout dégage un calme total et soudainement la fatigue des derniers jours me tombe dessus. Je décide d'écourter mon parcours et d'aller faire la sieste. Je suis en vacances après tout. En sortant du monastère, je me renseigne auprès du préposé à l'accueil, qui est en train d'ajuster son iPod, sur le nombre de moines qui y vivent encore. Trois.

Arrivé à l'auberge, je constate à la lecture de mon altimètre que j'avais tout de même grimpé trois cents mètres. En Crète, la distance n'a aucune importance, c'est le dénivelé qui dicte sa loi.

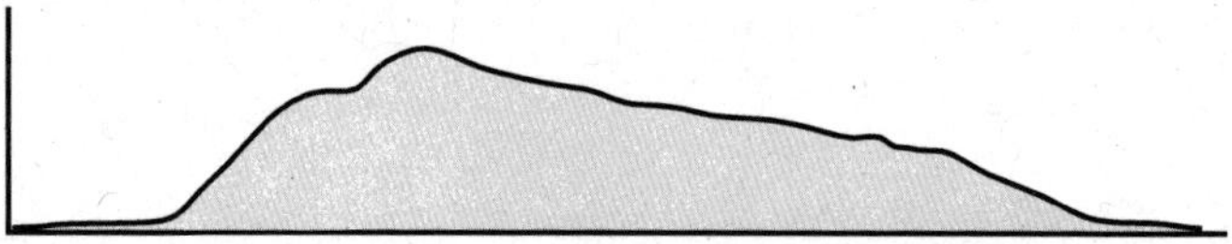

9e journée : la première boucle autour de Plakias ;
37 km, 550 mètres de montée

La descente au paradis !

Une belle journée s'annonçait,
Une gorge profonde m'attendait.

JEUDI MATIN, JE DÉCIDE D'ENTREPRENDRE une boucle dont la longueur va varier selon mon humeur et surtout ma forme. Tout d'abord, je roule vers l'est sur un bord de mer plat qui mène à Souda, un hameau qui est en fait le port de pêche de Plakias. Un peu plus loin et au fond d'une baie, une belle grande plage déserte. Une immense pile de parasols indique qu'il doit y avoir foule en été.

Puis, c'est la montée tout en lacets. Douce la plupart du temps, elle comporte certains passages abrupts au point où j'ai de la peine à enfoncer mes pédales pour avancer. Mais le tout se passe bien. Il semble que, comme le veut l'expression, je sois en jambes aujourd'hui. Mes efforts sont récompensés par la vue qui devient de plus en plus majestueuse. On y voit bien Plakias dans le fond de sa baie entourée des petites montagnes qui plongent directement dans la Méditerranée. L'une d'elles a la forme allongée du pain de sucre de Rio de Janeiro. Au sommet, une minuscule chapelle fait office de cerise !

Au bout de la montée, un village pittoresque avec son inévitable café, sa *taverna* et quelques boutiques d'artisanat avec des objets de bon goût. L'endroit est très joli avec sa vue panoramique. En face d'une des boutiques, une vieille moto BMW avec son side-car. Probablement un vestige du passage des Allemands pendant la Deuxième Guerre mondiale. Lors de mes passages précédents, on en voyait régulièrement. On y voyait parfois un paysan y balader sa chèvre ou son mouton. Celle-ci est en parfait état. J'apprendrai plus tard qu'elle ne date que de 1952 !

Après un café, je reprends la route avant que mes muscles ne refroidissent trop. La route est en corniche et la vue est spectaculaire. D'ailleurs, elle est marquée en vert sur ma carte. Nous approchons d'une gorge qu'il va falloir traverser. Un panneau indique qu'il peut y avoir de fortes bourrasques de vent. C'est le cas et, en plus, je les reçois en plein front. J'ai peine à monter. Les parois de roches se resserrent de plus en plus. Au point le plus étroit, il y a à peine de la place pour laisser passer un camion.

Quand j'aboutis de l'autre côté, surprise: une magnifique vallée verdoyante où des conifères valsent avec les oliviers. Quelques arbres feuillus dont les branches bourgeonnent viennent compléter le paysage. Le tout a une apparence familière, plutôt nordique. De chaque côté, deux chaînes rocheuses et, au fond, des sommets enneigés. La descente est douce et s'éternise. Grâce au bitume de bonne qualité, je peux garder le regard sur le paysage qui défile. Le bonheur.

Après vingt kilomètres de cette longue et douce descente entrecoupée de petites montées parfaites pour dérouiller mes jambes, je dois retraverser la spectaculaire gorge de Kourtaliotiko. Contrairement à mon premier passage, aujourd'hui le temps est magnifique et le vent a fait une pause. Je pourrai donc voir le tout d'un autre œil et, comme un film que l'on voit pour une deuxième fois, je pourrai me concentrer sur les images, étant moins pris par l'histoire.

L'approche se fait tout en douceur. Des prés verts tachetés des couleurs des fleurs printanières ondulent autour de la route en méandres. Petit à petit l'étau se resserre et après un virage aveugle j'aboutis dans une grotte traversée par un torrent. Les pierres vont de la couleur rouille au gris. De nombreuses anfractuosités y sèment des taches noires, c'est vraiment spectaculaire. Tout défile vite, car la route descend sans arrêt. Puis un autre virage aveugle et surgit de la droite le coup de poing fatal: le mur de six cents mètres de haut qui me saute au visage.

Je pousse un cri tellement l'image est forte. Puis, graduellement la route remonte pendant que le ruisseau à gauche continue sa descente dégageant ainsi de nouveaux points de vue. La douce montée permet de me remettre du choc causé par le passage. En finale, je sors du canyon rocailleux et austère, et, comme la lumière au bout d'un tunnel, apparaît une vue panoramique tout en soleil sur fond bleu de la Méditerranée et d'un ciel comme seule la Grèce peut les faire. L'*Alléluia* de Leonard Cohen, un habitué de la Grèce, me sort des poumons.

Cette petite boucle de trente-sept kilomètres, cinq cent cinquante mètres de montée, est vraiment exceptionnelle.

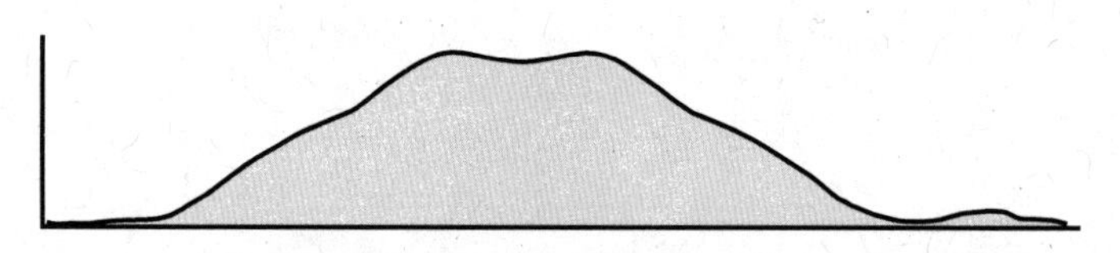

10e journée : la deuxième boucle autour de Plakias ;
38 km, 487 mètres de montée

Les vieux de l'Auberge de jeunesse

Fuir au loin
Pour finalement se cogner
Sur son propre nez.

L'AUBERGE DE JEUNESSE DE PLAKIAS est un petit monde. Située légèrement en retrait du centre du village, à dix minutes de marche, elle est composée de quatre agréables pavillons lovés dans un jardin avec une belle pelouse bien entretenue. Propriété d'un Grec du coin, elle est tenue depuis quatorze ans par Chris, un Anglais. Il laisse son empreinte et pas seulement sur la pelouse qui est bien verte et anglaise. Tout est hyperpropre et bien organisé.

Chris, probablement dans la cinquantaine avancée, est petit de taille avec le visage ridé typique des grands fumeurs. Il consacre son temps à créer un milieu de vie dans ce bel endroit pour en faire plus qu'un lieu de passage. Il réussit, car une petite colonie gravite autour de l'auberge. Pourtant, il est assez distant, mais il répond à toutes les questions et demandes de ses clients.

L'horaire est strict et appliqué de façon militaire. De neuf heures à midi, il sert le petit-déjeuner. À neuf heures tapantes, la musique se fait entendre puis le panneau de la cuisine ouvre. On se croirait au théâtre. Sur le comptoir, la mise en scène est ordonnée. À gauche un réservoir d'eau chaude pour le café ou le thé, puis le lait et le sucre. Dans un verre rempli d'eau, deux cuillères pour mélanger le breuvage chaud, puis finalement le pot de Nescafé, qui est malheureusement le seul café offert. Devant lui, une tablette et un stylo posé dessus bien perpendiculairement pour prendre les commandes. Ce qu'il fait rapidement, en prenant soin de tout inscrire pour les comptabiliser à l'addition du client. Puis, il nous sert la boisson chaude et viendra nous porter le déjeuner. La confiance règne, car on ne paie qu'à la fin de notre séjour et il n'exige pas de garder le passeport en garantie comme c'est la coutume locale. Graduellement, les gens se réveillent et viennent s'installer sur la terrasse ensoleillée. La plupart des demoiselles ont leurs propres provisions. Par contre, les garçons utilisent le service de la cafétéria. Ce matin, j'ai choisi deux œufs frits avec un nescafé, par dépit.

❋

La clientèle se divise en deux groupes assez différents : les gens qui font de longs séjours et ceux qui ne font que passer. Ce dernier groupe est composé en majorité écrasante de jeunes femmes, étudiantes pour la plupart, et qui viennent profiter du bas prix de l'hébergement.

L'essentiel du premier groupe est composé d'hommes aux cheveux gris et ayant parfois des comportements sociaux un peu étranges. Certains séjournent encore plus longtemps dans d'autres hébergements à bon marché dans les environs. Il y a même un Anglais qui vit sur la plage. Ils viennent tous, plus ou moins régulièrement, déjeuner à l'auberge, y prendre une douche chaude ou encore l'apéro en fin de journée.

Ce groupe de vieux garçons se subdivise en deux sous-catégories. Il y a les types solitaires et qui passent l'essentiel de leur journée seuls. L'un d'eux est souvent scotché à son portable, un autre a le nez constamment dans des journaux périmés. Le deuxième sous-groupe est composé d'hommes plus ou moins engagés sur la pente de l'alcoolisme.

Celui dont je suis le plus près est Geert, un Hollandais. Il loue une petite maison située tout près, très rustique et sans eau chaude. Il y passe l'essentiel de l'année après avoir travaillé quelques semaines dans son pays à une station-service. Tous les matins, il vient déjeuner et jouer aux échecs à l'auberge. C'est manifestement un fils de bonne famille et bien éduqué. Il est bien au fait de l'actualité. Toujours habillé avec la même chemise relativement propre. Il a le teint rouge du Nordique blond qui refuse obstinément d'utiliser la crème solaire.

À l'occasion, je crois entrevoir de la détresse dans ses yeux. Mais il jure qu'il fait la belle vie ici, loin du tumulte de son pays. Il confie qu'il aimerait acheter un vélo, mais, comme il fume comme une cheminée, j'en doute un peu. Il y a loin de la Crète aux Pays-Bas, côté relief!

Un jour où l'auberge est déserte, j'ai une discussion avec l'Anglais de la plage. Après m'avoir raconté ses péripéties en Amérique du Nord, qu'il a traversée au volant d'une vieille Mercedes diesel, il partage avec moi la bonne nouvelle qu'il vient de recevoir: le gouvernement britannique a décidé de maintenir sa rente d'invalidité. Pas besoin d'être un grand devin pour imaginer qu'il la reçoit pour des problèmes de santé mentale.

Le soir on croise aussi Hans, un Allemand qui a fait le tour du monde. Barbu, coiffé d'un foulard, il a l'air d'un vieux marin. Il raconte qu'autrefois, il était ingénieur spécialisé dans les installations portuaires. Il passe ses soirées à tenter de se rendre intéressant en racontant ses aventures dans les nombreux pays qu'il a visités. Son état d'ébriété avancé ne lui rend pas la tâche facile et essayer de le suivre est une tâche pénible. Lorsqu'il finit par abdiquer et aller se coucher, ses comparses de beuveries en profitent pour commenter son état. Ils trouvent bien triste sa déchéance et ne réalisent pas qu'ils risquent de le rejoindre s'ils continuent dans la même voie.

⁂

Pour Chris et son auberge, le rideau de la session matinale tombe à midi pour se relever à dix-sept heures précises avec le même scénario: musique puis lever de rideau. Cette fois-ci, ce sont bières, vins et boissons sans alcool qui sont servis. Chris en profite pour inscrire les nouveaux arrivants de la journée. Geert est d'habitude le premier à se pointer pour aller prendre une bière dans le frigo. L'apéro se poursuit jusque vers vingt heures. Puis des groupes se forment pour aller manger. La plupart des jeunes femmes grignotent des trucs et ne s'y joignent pas. Les messieurs vont souvent chez Nick souvlaki, qui en fait ne vend pas de souvlaki. L'endroit fait boui-boui et l'ambiance est… informelle. La serveuse est une Anglaise qui n'a manifestement pas été embauchée pour sa beauté. Elle parle tout en serrant les dents d'un côté. Avec son accent populaire british, ce qu'elle marmonne est à peu près incompréhensible. En plus, elle est totalement distraite. Nous ne sommes vraiment pas dans un endroit touristique.

La carte, plutôt mince, est bon marché et certains plats s'avèrent bons, notamment le poulet au citron. On y sert des *fish and chips* peut-être pour attirer les Anglais, mais la clientèle est plutôt composée d'Allemands débraillés. Le vin coule à flots et le contrôle des additions est complètement aléatoire et est, en général, au profit du client. La clientèle en sort bien éméchée et ira finir la soirée chez Joe, un Grec bedonnant à l'allure décontractée, très décontractée même. Ce scénario se répète à l'infini, soir après soir. Rigolo la première fois, ça devient déprimant à la longue. Le mal de vivre est omniprésent derrière une façade de gens prétendant faire la grande vie dans un petit paradis loin de l'enfer des pays industrialisés.

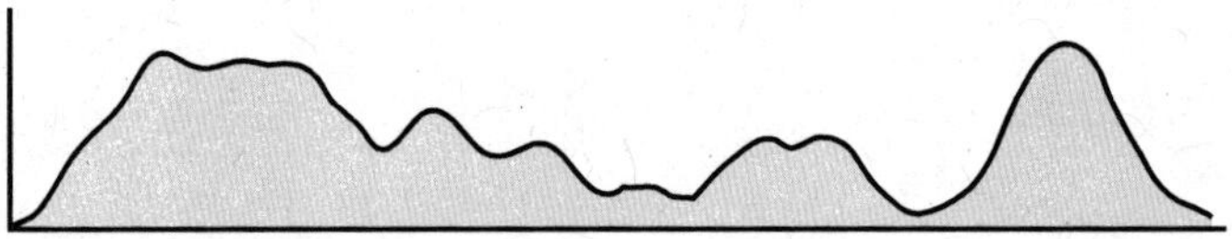

11e journée : de Plakias à Chora Sfakion ; 56 km, 974 mètres de montée

Le bûcher du pendu

Aux Pâques orthodoxes,
Allumer un lampion,
Griller un agneau,
Coincé entre mer et montagne.

Après avoir salué tout le monde, je quitte l'auberge de Plakias et je reprends mon parcours solitaire. J'entreprends la longue montée. Comme d'habitude, le début est un peu pénible et je réalise qu'après deux jours de parcours sans bagages ceux-ci ralentissent ma course même si je voyage ultraléger.

Heureusement, une fois que je suis réchauffé, le tempo vient, les endorphines font leur travail et j'arrive assez rapidement à la route principale. Elle est encastrée en corniche entre la Méditerranée et les montagnes dénudées qui la surplombent. La routine, quoi ! La traversée des quelques villages est très sympathique. La route rétrécit au point de ne laisser passer qu'une seule auto. On a l'impression de traverser la cour intérieure des villageois. Ceux-ci vivent sur le parvis de leurs petites maisons et on peut les observer se livrer à leurs activités domestiques. Les salutations que je reçois aujourd'hui sont particulièrement chaleureuses. Est-ce dû au caractère local ou bien au fait que nous soyons la veille de Pâques ? Il faudrait que je revienne pour le savoir !

Après un virage, je débouche sur un point de vue splendide : une gorge au pied de laquelle sont lovés deux villages perchés de part et d'autre du précipice. Un pont antique, en pierres taillées et formant un arc, enjambe le gouffre vertigineux. Les garde-fous vétustes ne sont pas très rassurants. La route dessine ensuite une série de lacets taillés dans le roc. Elle est bordée d'un tapis de fleurs sauvages. Un apiculteur a flairé le bon coup et il a posé ses ruches en bordure de route.

Je traverse le deuxième village où une famille assise devant sa maison me salue vivement. Deux agneaux écorchés pendent, prêts à être grillés. Justement, je commence à avoir un petit creux. À la sortie du village, une toute petite chapelle collée à la route m'offre de m'asseoir sur ses bancs invitants.

J'accepte l'invitation et décide de faire une pause. Pendant que je traverse la route, un âne gris sort du ravin et vient me tenir compagnie. Je partage avec lui mes barres de noix enrobées de sucre et il semble bien apprécier. Il en réclame d'autres en soulevant sa lèvre supérieure, montrant ainsi ses dents pas très appétissantes. Mais exception faite de sa dentition, ça me fait vraiment plaisir d'avoir sa compagnie.

Je reprends ma route et, petit à petit, la végétation devient de plus en plus chétive. Après un virage, sur le côté gauche, j'aperçois un étrange épouvantail, simulant un berger. Le temps de me remettre de ma surprise, j'aperçois un gros chien berger, émergeant de sa niche, du côté opposé de la route. À côté de sa niche, des panses d'agneau attirent les mouches. Je constate que sa laisse est très courte et qu'il ne peut donc pas m'atteindre. Heureusement, car un jarret de cycliste aurait sûrement varié son menu. Je passe sans m'attarder, en m'interrogeant sur la raison de sa présence à cet endroit inattendu. Pourquoi est-il affublé de cet étrange voisin en forme d'épouvantail ?

Après un autre virage, le deuxième massif enneigé de l'île fait son apparition. À peine ai-je le temps de m'émerveiller que j'aperçois un troupeau de moutons au milieu de la route. Je salive en imaginant la superphoto que je pourrais faire. Je m'arrête, dégaine mon appareil et tente de rester immobile pour ne pas apeurer mes cibles. Le troupeau passe à un mètre de mon vélo et je mitraille la scène. C'est là que je comprends que l'épouvantail et le chien sont là pour fixer la limite que le troupeau ne peut dépasser.

Les bergers disparus ont été remplacés par ce système, ainsi que des clôtures omniprésentes dans l'île. Elles se fondent dans le paysage grâce à leur couleur rouille et ne viennent pas gâcher notre plaisir des yeux.

Peu de temps après, je franchis un petit hameau et je suis de nouveau obligé d'arrêter : un autre troupeau de moutons bloque la route. Deux dames observent la scène et nous avons tous un rire complice. Les moutons passent dans une joyeuse cacophonie.

Je continue mon chemin dans ce paysage austère. La circulation est toujours aussi clairsemée. En montant une côte, un petit quatre-quatre ralentit et le passager, un homme plus âgé que moi, me demande si je parle français. Un peu surpris, je dis oui, puis il me demande si je suis québécois. Surprise: lui aussi.

Nous nous arrêtons pour discuter un peu. Mon compatriote m'a reconnu grâce aux fleurs de lys de mon maillot des *Cajuns Cyclists*... qu'il a confondues avec l'emblème du Québec. Il me raconte qu'il fait un grand voyage à vélo autour de l'Europe. C'est probablement un retraité, mais, en ce moment, il fait une pause de son vélo, avec une Autrichienne qui, elle, est loin de l'âge de la retraite. Nous nous disons que nous nous retrouverons peut-être à Chora Sfakion, puis ils me laissent derrière eux.

Les kilomètres commencent à faire leur effet et, au village suivant, un vieux café accueillant, situé presque sur la route, m'invite à faire une pause. Une dame m'accueille chaleureusement. Malheureusement, mon grec primitif limite la conversation. Elle n'a pas le yogourt que j'avais en tête. Je me contente d'une limonade et d'un café grec. Après m'avoir servi les boissons, elle m'apporte deux délicieuses pâtisseries faites d'une pâte fourrée de fromage cuisinées probablement pour le lendemain: les Pâques orthodoxes. C'est vraiment délicieux. Quand vient le temps de payer, elle refuse fermement que je lui donne un pourboire. Ici, on ne badine pas avec l'hospitalité!

Peu après, la petite route que j'emprunte depuis mon départ de Plakias rejoint la route principale. Elle arrive du côté nord de l'île après la traversée des montagnes qui se conclut par une spectaculaire descente en lacets. À partir de l'intersection, je roule sur une route neuve et large, tout en douce décente. Je plonge littéralement vers la mer et pour la première fois de mon périple, je prends une position aérodynamique de recherche de vitesse. J'arrive rapidement à Chora Sfakion, un petit village tout blanc situé au fond d'une baie entourée de montagnes.

C'est à partir de ce point que la route ne dessert plus les villages de la côte tant le relief est exigeant. Elle grimpe en lacets sculptés dans le roc rejoindre quelques villages de montagnes. C'est vraiment spectaculaire.

Je bifurque vers le village. Je fais le tour du quai bordé de terrasses pour tenter de retrouver le Québécois et son Autrichienne. Deux Belges « bien en bière » m'interpellent pour me féliciter de m'être rendu jusque-là en vélo. On est bien loin du plat pays de Jaques Brel. Je ne retrouve pas mon couple québéco-autrichien.

Je décide d'aller me mesurer à la montée. J'ai du temps devant moi et je me sens d'attaque. La route est neuve, la végétation se résume aux bosquets habituels, le thym dégageant ses parfums. Un soleil omniprésent, mais pas écrasant, et un épais silence tissent la toile de fond de cette lutte sans merci entre le grimpeur et la montagne. Les clochettes des chèvres de montagne, dont c'est le terrain de jeu, viennent dédramatiser la scène. Le bitume est neuf, mais parsemé généreusement d'éboulis de roc. La descente devra donc se faire lentement. La circulation est essentiellement composée de chèvres. Une d'entre elles s'est même permis une sieste en plein milieu de la route.

La montée se fait bien, car le degré de la pente est raisonnable, mais elle est interminable. Je m'arrête constamment prendre des photos tant les paysages, qui changent constamment avec l'altitude, sont magnifiques. Les chèvres qui sautent d'une roche à l'autre offrent tout un spectacle. Un chevreau réclame sa tétée dans un endroit vertigineux. J'arrive à un point que je croyais près du sommet. Mais après un virage aveugle, je constate qu'après quatre cents mètres de montée, je suis encore loin de la ligne d'arrivée. Je fais une pause et en voulant me réhydrater je réalise que mes deux gourdes sont vides. J'ai fait cinquante-six kilomètres et près de mille mètres de montée. C'est finalement le prétexte dont j'avais besoin pour retourner sur mes pas et aller profiter de la petite plage que j'ai aperçue plus tôt d'un de mes points de vue panoramiques. Quelques bikinis y étaient d'ailleurs alignés, ajoutant au charme de l'endroit.

La descente est un pur plaisir et je rejoins rapidement l'escalier qui descend au petit bout de plage encastré dans la falaise. Je descends l'escalier avec mon vélo à l'épaule et je l'appuie contre la falaise. Sans tarder, je vais plonger dans l'eau délicieusement froide. Puis, je me fais chauffer par le soleil. Tout baigne, comme disent les cousins français.

D'ailleurs, un couple de Français passe devant moi et l'homme, qui a le physique d'un cycliste, s'arrête pour compter les dents du pignon de ma roue arrière. Il est curieux et explique que ce serait son rêve de pouvoir partir à vélo. Seulement, sa femme ne pratique pas ce sport. Je lui suggère qu'elle pourrait voyager en voiture et qu'il pourrait la suivre avec son deux-roues. Elle ne conduit pas, qu'il me dit. Décidément, certains n'ont pas le tour de choisir leur partenaire…

L'heure de l'embarquement pour la croisière qui va m'emmener vers Palaiokhora à l'est approche. Je remonte l'escalier et je me rends au débarcadère. C'est un joyeux désordre. Les voitures sont stationnées dans une désorganisation bien méridionale. Tout à l'avant, un macho grec, véritable caricature, trône devant son immense pick-up Ford noir. Il est également vêtu en noir, immense, les cheveux gominés. Il trémousse son petit chapelet en ambre et vocifère d'une voix autoritaire. Sa compagne, une blonde très plastique, pose bien accotée sur le véhicule. Au signal, l'embarquement se fait rapidement et le bateau part à l'heure. À bord, la file pour acheter le billet est interminable et je n'arrive à l'obtenir qu'une heure plus tard, au moment de l'arrivée. De toute façon, personne ne me le réclamera.

Le village, tout en blanc et bleu, est coincé sur le bord de la plage d'une baie complètement écrasée par les montagnes. Quelques autos sont curieusement stationnées dans un minuscule espace à côté du débarcadère et nous entrons directement dans le village qui ne compte ni rue, ni route. J'ai l'impression de marcher dans un souk arabe, l'allée est étroite et nous circulons entre les cafés et les restaurants, et leurs terrasses. D'un côté, on peut voir agneaux et poulets qui rôtissent, et de l'autre, les gens attablés sirotant un apéro. Il y a foule, car de nombreux Grecs se sont déplacés pour venir célébrer les Pâques. Il y a peu d'étrangers. Au milieu du village trône un bûcher avec un pantin pendu et destiné à être brûlé. Bizarre.

Je trouve rapidement un hôtel et je m'informe du programme de la soirée en cette journée des Pâques orthodoxes. À neuf heures, il y aura la messe.

Après, on brûlera le Judas : voici donc l'explication de la mise en scène un peu sinistre au milieu du village. Finalement, on passera à table.

Après un petit repos, je me rends donc à la sortie de la messe où une foule est réunie dans une mignonne petite cour coincée entre l'église et la montagne. La plupart des gens tiennent une chandelle allumée et chantent un thème religieux. L'ambiance est à la spiritualité. Cependant, petit à petit, pendant que le prêtre marmonne des trucs inaudibles, l'attention des participants se détourne et les discussions entamées lors de l'apéro reprennent. Des feux d'artifice éclatent sur le bord de la plage. Le prêtre continue sa prestation dans l'indifférence la plus totale. C'est maintenant un joyeux et sympathique bordel où les besoins de l'âme cèdent de plus en plus de place à ceux du corps…

Je décide de m'installer à une table sur une des terrasses au bord de la mer pour y regarder le feu de loin. Curieusement, je suis servi en français par un Marocain. J'en déduis que le village a été délaissé par la jeunesse locale et qu'ils sont obligés de recruter la main-d'œuvre à l'extérieur. L'agneau est délicieux, mais le vin pique. Avec les montées de la journée, je laisse la fête qui s'installe lentement pour aller rejoindre Morphée, mon doux compagnon de voyage.

12e journée : en croisière entre Chora Sfakion et Palaiokhora

La maison du Québec

À l'époque
De la jeunesse bohème,
Les descendants des coureurs des bois
Étaient dans leur élément.

AU LEVER DU JOUR, LE VILLAGE est complètement silencieux. Lendemain de veille, sans doute. Je déjeune à l'une des terrasses qui longent sans interruption le bord de mer. Quelques clients attablés devant un jus d'orange fraîchement pressé attirent mon attention. Je ne m'installe pas trop loin et je choisis un yogourt au miel accompagné d'un capuccino, qui arrive recouvert d'une mousse froide. Décevant.

Un groupe de touristes français occupe la table voisine de la mienne. Ils semblent tout droit sortis du film *Les Randonneurs* : des hommes et des femmes rassemblés par le plus pur des hasards qui partagent les hauts et les bas d'un périple rempli d'aventures. Mes voisins forment un groupe de joyeux quinquagénaires animés par un « gentil organisateur » à l'allure efféminée. Il me conseille quelques sentiers à découvrir dans le coin. Quand il se rend compte que je voyage seul, il a ce commentaire : « *Bonne idée !* »

Après leur départ, je fais mes bagages et m'installe sur la terrasse de l'hôtel, pour observer le port : un flou artistique entoure l'heure du départ du bateau et je ne veux pas le rater.

Cette fois, l'embarcation transporte surtout des touristes, dont un grand groupe de Néerlandais aux cheveux gris. Le traversier longe la côte abrupte et sauvage. Debout sur le pont, j'aperçois une petite chapelle plantée au bout d'une pointe de terre déserte.

À midi, nous arrivons à Agia Roumeli, où je dois changer de bateau pour prendre celui de Palaiokhora. Mais celui-ci ne part qu'à seize heures, j'ai amplement le temps de visiter les célèbres gorges de Samaria, une promenade de six à sept heures qui commence en haute montagne. Malheureusement, la saison ne me permet pas de découvrir ce grand classique des randonnées crétoises : la fonte des neiges rend l'endroit inaccessible.

Je me rabats sur mon vélo et je prends le petit chemin de mauvais pavé qui mène vers les gorges, question de voir jusqu'où je peux me rendre. Petit à petit, le chemin se dégrade et, lorsque je traverse un hameau abandonné, je dois m'arrêter, car je ne peux plus traîner mon vélo. Un troupeau de moutons a pris possession des lieux. Je casse la croûte en me demandant quoi faire.

Puis arrive un couple de Grecs avec une fillette trop épuisée pour poursuivre la promenade. Ils viennent de Rethymnon, le chef-lieu du coin situé sur le côté nord de l'île. Ils sont venus passer les Pâques sur la côte sud. L'homme parle anglais et est volubile. Il sort son petit chapelet et m'explique son utilité : ce sont les Turcs qui ont implanté cet objet, le *comboloi*, qui occupe les doigts et remplace ainsi la cigarette. Ce qui ne l'empêche pas d'en griller une. Finalement, je décide de cacher mon vélo dans une ruine et de poursuivre ma randonnée, seul, dans le sentier.

Quelques touristes font leur apparition et tout le monde se demande jusqu'où on peut se rendre. La réponse ne tarde pas : nous arrivons bientôt à la guérite du Parc national de Samaria. Le préposé, plutôt chaleureux, m'informe que l'on peut marcher pendant encore trois kilomètres, mais qu'après l'accès est interdit. Par contre, il me précise qu'il n'y a personne pour nous empêcher de continuer, mais en cas de pépin, il n'y aura également personne pour nous aider. Belle franchise !

Le sentier, bien entretenu, longe un torrent. Il est bordé par deux falaises qui se rapprochent à mesure que l'on avance. Rapidement, j'arrive à un des points forts de cette traversée : les portes de fer. Un étroit passage de trois ou quatre mètres de large bordé de parois verticales qui s'élèvent sur près de deux cents mètres. Le sommet des montagnes nous surplombe de cinq cents mètres. À couper le souffle.

Après, le sentier grimpe dans une étroite pinède qui aboutit à une petite aire de repos près de la fameuse chapelle. C'est à partir de là que le sentier devient interdit d'accès. Je fais une pause et, comme tous les bancs sont occupés, je demande à une femme assise seule, blonde et jolie, si je peux partager le sien. Elle accepte sans enthousiasme et me dit froidement qu'elle est Allemande. Mais son accent m'intrigue.

Je n'insiste pas et je reprends rapidement le sentier, qui s'avère de plus en plus ardu. Impossible de continuer avec mes souliers de vélo et leurs ancrages de métal. Je reprends la descente pour m'arrêter un peu plus loin prendre quelques photos. Je vois alors apparaître la jolie blonde qui m'avait boudé sur son banc. Elle marche en filmant avec sa caméra vidéo. Je lui offre de la filmer pendant qu'elle marche. Elle accepte avec plus d'enthousiasme que tout à l'heure. Après la courte séance de tournage, elle me remercie chaleureusement en me disant qu'elle apprécie vraiment, en appuyant sur le vraiment. Je reconnais que son accent en anglais n'est pas allemand, mais probablement slave. Je poursuis ma descente et la belle mystérieuse disparaît pour le reste de la randonnée. Que faisait-elle, seule, dans ce sentier du bout du monde ? D'où venait-elle, avec cet accent difficile à identifier ? Et pourquoi cet air renfrogné lors de notre rencontre sur le banc ?

Le temps de me poser ces questions, je rejoins la route où une unique auto est garée à l'ombre, sous un arbre. Trois chèvres ont profité de cette position de choix pour grimper sur le capot et le toit afin d'atteindre les feuilles qui, normalement, seraient hors de leur portée. Le propriétaire de la voiture arrive peu après que j'eus croqué cette scène plutôt cocasse. Il prend la chose en riant.

Finalement, j'arrive à la plage et je fais une sieste bien méritée sous les doux rayons du soleil. Mon sommeil est interrompu par un bruit de pétards et des tirs de carabine. Abasourdi, je vois un homme sortir du restaurant voisin, brandissant une kalachnikov. Il tire une salve en l'air et retourne rapidement à l'intérieur. Il me faut un moment pour comprendre que ces salves bruyantes font partie du rituel pascal. L'écho des détonations se répercute sur les parois des falaises.

Puis, surprise, je vois passer la mystérieuse blonde en compagnie d'un Allemand obèse, pas mal plus âgé qu'elle, la cigarette au bec, les cheveux gris en broussaille. Voilà pourquoi elle était seule dans le sentier des gorges de Samaria : ce compagnon n'était manifestement pas assez en forme pour la suivre. Le casse-tête se met en place : j'imagine que cet homme peu séduisant a recruté sa jeune compagne dans une des agences qui mettent en relation des Russes ou des Ukrainiennes, à la recherche d'un meilleur avenir, avec des Occidentaux en quête de chair fraîche qu'ils ne peuvent plus conquérir dans leur « marché » local.

Arrive l'heure du départ. Je reprends mon vélo, l'installe dans la cale et monte sur le pont. La blonde et son partenaire ont pris l'autre bateau. Au moment du départ, nos regards se croisent et elle m'envoie de grands signes de la main. Combien de temps vivra-t-elle avec ce compagnon peu appétissant ? Le temps d'obtenir ses papiers ?

Le bateau qui emporte ce couple étrange disparaît à l'horizon. Sur le pont, l'air est frais et agréable. La lumière du couchant peint les parois de roc de différentes teintes d'ocre et de beige, accentuées par le mauve de la mer. Je parle un peu avec un couple de jeunes professionnels français, des habitués de la Corse, qui trouvent la Crète bien montagneuse.

Je vois se dessiner au loin la péninsule de Palaiokhora qui me replonge dans les souvenirs. Je reconnais quelques plages éloignées où nous allions faire du naturisme, à l'époque. Ici, je suis de retour en pays connu. Une fois descendu du bateau, j'enfourche mon vélo et je pars à la recherche de mes repaires.

Je suis déjà averti, l'endroit a beaucoup changé. Le petit village authentique de l'époque s'est transformé en un centre touristique. Comme il est situé sur une étroite péninsule, il est bordé de deux côtés par la mer. À l'est, le port, à l'ouest, la plage. Au bout de la péninsule, une petite butte coiffée d'une maison carrée, complètement en ruine. Je la reconnais tout de suite. Elle va me servir de point de repère.

❄

Je recherche en fait deux lieux : le café où nous passions l'essentiel de nos soirées, dans le temps, et la maison où je vivais alors. À l'époque, sur la place centrale, il y avait deux cafés. Le plus populaire était toujours bondé. Le patron, un homme bedonnant, y servait les plats préparés par sa femme. Au centre de la pièce trônait un poêle à bois qui me tenait chaud en hiver.

En face de ce lieu vibrant se trouvait un café complètement désert. Le propriétaire passait la soirée à somnoler sur sa chaise. Il attendait le moment où son compétiteur fermerait ses portes et où nous allions traverser la rue pour prendre un dernier verre chez lui. Un soir, nous avions décidé d'aller passer la soirée dans le café vide, pour l'encourager. Mais il était tellement désagréable que nous n'avons pas répété l'expérience.

La maison que j'occupais appartenait au cordonnier du village qui tenait boutique entre la maison et le café. Il y avait quatre chambres meublées de quelques matelas jetés sur le sol, une cuisine et un petit jardin. Les Québécois y étaient si nombreux que nous l'avions surnommée « la maison du Québec à Palaiokhora ».

J'en étais d'ailleurs devenu le tenancier, en échange du logis gratuit. Mon rôle consistait à me présenter à l'arrivée du bus pour offrir des chambres aux nouveaux arrivants, collecter le prix des nuitées et remettre le tout au cordonnier. En plus, deux ou trois fois par semaine, j'allais cueillir des tomates dans une serre.

On commençait tôt le matin, pour terminer le travail avant d'être assommés par le soleil du midi. À l'époque, je pouvais facilement vivre avec cinq dollars par jour et je devais en gagner trois fois plus en cueillant les tomates. Le pactole.

❀

En regardant bien, je crois reconnaître la maison du cordonnier où j'avais passé ces moments inoubliables, avec sa forme carrée, sa cour, ses deux grandes fenêtres latérales. Puis, je retrouve l'ancien café désert, aujourd'hui rempli de clients.

Mais il me faut trouver un endroit où passer la nuit, et j'aboutis à *Anonymous Homestay,* où je suis accueilli par une charmante Grecque. Les chambres sont très coquettes, c'est ce que j'ai vu de mieux depuis le début du voyage. La patronne m'offre un café que je décline pour ne pas hypothéquer mon sommeil. Je discute avec mes deux voisines, des Françaises, et nous convenons d'aller souper ensemble.

Après douche et repos, nous allons à la *taverna* située presque en face de mon ancien café désert. Le décor est typique : murs blancs avec de vieilles photos et des objets antiques, tables et chaises d'époque. La clientèle est composée majoritairement d'hommes grecs et de quelques touristes, comme dans le temps.

Je choisis des calmars frits qui s'avèrent délicieux. Je fais goûter le retsina à mes compagnes de table. Elles aiment plus ou moins, mais ne sont de toute façon pas très portées sur la bouteille. Pendant que je rumine mes souvenirs, elles ont une discussion animée sur les nouvelles pédagogies de l'enseignement de mathématiques actuellement en vigueur en France.

Au moment de passer à la caisse, je raconte mon histoire au serveur, âgé d'une trentaine d'années. Il me dit d'attendre et va chercher son père. Je lui répète l'histoire des deux cafés. Il ne s'en souvenait plus, mais l'histoire lui revient à la mémoire et il rigole en racontant le tout à son fils. Par contre, il pense que le café qui marchait était le sien, alors propriété de son oncle. Il me montre une vieille photo sur le mur. Il est tellement content que je lui rappelle cette époque qu'il insiste pour m'offrir un demi-litre de vin, mais j'ai déjà trop bu et finalement nous trinquons avec un verre de raki. Lorsque je le quitte, il me fait une grande accolade comme si on était des copains qui ne s'étaient pas vus depuis trente ans.

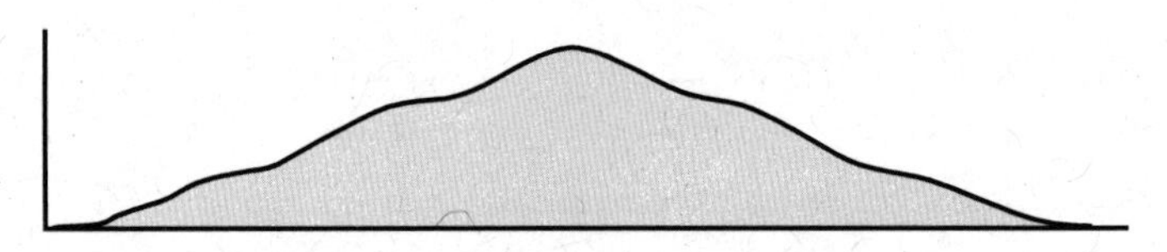

13e journée : visite de la chapelle au-dessus de Palaiokhora ;
34 km, 780 mètres de montée

Le pays des bergers

Surgissant de la nuit des temps,
Marchant et criant sans relâche,
Tentant de contrôler leur troupeau,
Ils sont disparus
Dans la nuit des temps.

Le lendemain, je décide de prolonger mon séjour à Palaiokhora. Je prends la décision d'emprunter une route qui monte vers une chapelle située très haut dans la montagne. La route est bien marquée en vert sur ma carte. À la sortie du village, je longe la mer vers la plage où nous allions jadis nous faire bronzer nus. Avant d'y arriver, je prends la bifurcation qui annonce le début de la montée. Je pénètre dans une petite gorge et commence mon travail de grimpeur. Les parois de la gorge que je traverse se resserrent et la route zigzague au milieu de grosses roches toutes rondes.

Après ce passage, je roule entre des oliviers au pied desquels poussent des herbages abondants. Puis, je traverse un village qui semble être passé en bonne partie aux mains de villégiateurs. Au centre, une jolie école transformée en un sympathique café. Il est fermé pour la saison. Néanmoins, un vieux est assis devant et me salue timidement. Petit à petit, les oliviers se font plus rares et bientôt disparaissent. J'atteins la zone de garrigue où les moutons, puis les chèvres sont maîtres des lieux. Je croise un de ces chiens dont la niche bloque presque la route. Il aboie, mais n'a pas l'air d'en vouloir à mes mollets. Puis au détour d'un virage, j'aperçois deux petits hameaux situés de part et d'autre d'une oliveraie qui a trouvé refuge dans un creux à l'abri du vent. Elle est composée de majestueux arbres aux troncs torturés. Un chien bloque l'entrée du premier hameau. Il doit faire la différence entre un cycliste et un mouton, car il ne lève même pas la tête sur mon passage, se contentant de me suivre d'un regard paresseux.

À la sortie du hameau, une immense maison domine la butte. Son propriétaire a manifestement mieux réussi que ses voisins : la superficie habitable de son château, plutôt de bon goût par ailleurs, doit être supérieure à la superficie totale de l'ensemble des autres maisons du hameau.

Après le passage du deuxième petit hameau, un raidillon vient me rappeler au travail. Je passe alors en zone de haute montagne, la végétation rase le sol, le vent se lève et il fait nettement plus frais. Puis, j'aboutis au sommet de ma montée. Devant moi, la mer surmontée des montagnes dont certaines sont encore coiffées de neige. La route mérite bien son trait vert.

Un berger me dépasse avec sa camionnette. Il s'arrête à cent mètres devant moi et laisse sortir son chien chargé de rabattre quelques moutons égarés dans les hauteurs. Le chien pousse de drôles de jappements et court à toute vitesse dans la garrigue. Il est spectaculaire à voir cavaler.

Je reprends ma montée et quelques minutes plus tard j'entends des coups de carabine. Le berger et son chien auraient-ils croisé un prédateur ?

Il semble que je sois bien en jambes, finalement. Après quelques raideurs au genou droit, tout se passe bien et je finis par avoir la fameuse chapelle en point de mire. Tout d'un coup, un « bing » bien sec se fait entendre à l'arrière de mon vélo. J'arrête et je constate qu'un rayon de ma roue vient de capituler. Rien cependant pour m'empêcher d'atteindre la chapelle.

Elle est nichée au sommet du col, à côté d'un cimetière bien entretenu, garni de fleurs en plastique. Je casse la croûte face à un panorama grandiose et sous un soleil radieux. Il est bienvenu, car à cette altitude l'air est frisquet.

À peine suis-je installé que le berger repasse et s'arrête en trombe à deux mètres de moi. Il sort de son camion pour ouvrir une clôture. Je peux constater qu'il est bien gras. Je le salue, mais je ne reçois pas l'ombre d'une réponse. Il rembarque dans son camion et poursuit son chemin dans le pâturage. Le chien suit derrière.

❋

C'est tout un contraste avec les bergers de l'époque. Ils marchaient continuellement dans ce relief exigeant en tentant de contrôler leur troupeau à coups de sifflements et de tirs de cailloux. Ils étaient petits et maigres comme des chicots. Ils avaient le visage bien basané, la barbe négligée et le foulard crétois dans les cheveux. Ils portaient les habits traditionnels : la chemise ample et usée bien serrée dans le pantalon turc. Aux pieds, de hautes bottes brunes. À la main, le bâton du berger. Rien à voir avec mon berger bien nourri du xxie siècle !

⁂

Comme j'ai un peu froid, je ne traîne pas et j'amorce la descente. J'ai l'impression de plonger vers la mer. Sans un coup de pédale, je me laisse porter à travers la zone alpine et les deux villages, je recroise le chien qui reste toujours aussi léthargique, les troupeaux de moutons, et enfin le village de villégiateurs. Rien n'a changé depuis mon passage : le vieux est toujours à son poste devant le café fermé.

Finalement, je zigzague entre les rochers aux formes arrondies et débouche au nord de la mer. Affamé, je passe par la boulangerie et j'opte pour un *spanakopita*, une tarte de pâte feuilletée farcie d'épinards, et un *baklava*. Tout est délicieux et réconfortant.

Après une sieste et une baignade, je reprends mes recherches archéologiques et fais quelques achats. J'avais aperçu un t-shirt dans une vitrine sur lequel était inscrit, en grec, le texte que Kazantsakis, l'auteur de *Zorba le Grec*, a fait mettre sur sa tombe : « *Je n'ai plus d'espoir, je n'ai plus de peur, je suis un homme libre.* » Ça doit être l'esprit des lieux, car c'est exactement ce que je ressens après cette virée entre ciel et mer !

Il s'avère que le patron de la boutique loge dans la même maison que moi. En fait, c'est le fils de la patronne et il est au courant de mes exploits cyclistes et de mon passage précédent. Les nouvelles vont vite. Il se rappelle bien du passé et il précise que le café populaire à l'époque a cédé la place à une pharmacie, mais que la maison du cordonnier est toujours là, cent mètres plus loin. C'est bien celle que j'avais cru reconnaître.

Je m'y rends. Trois petites vieilles papotent à côté. Un jeune homme me sert de traducteur : j'apprends que le cordonnier est toujours vivant, mais a déménagé à Thessaloniki. Ainsi, le passé et le présent se rejoignent ! Je suis tellement content de cette confirmation que j'en oublie presque de prendre des photos avant de repartir.

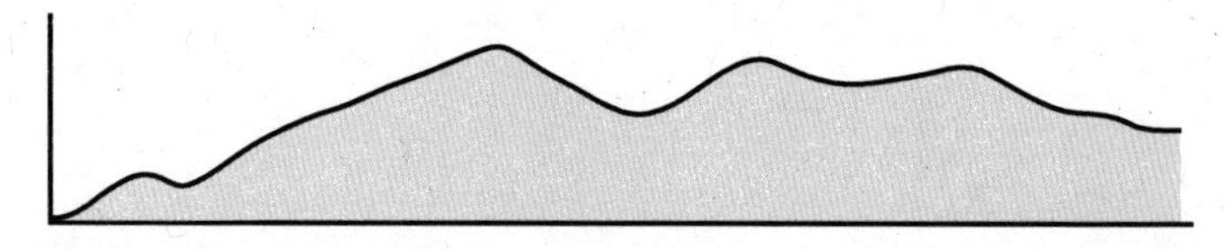

14ᵉ journée : de Palaiokhora à Kampos ; 46 km, 941 mètres de montée

Les vieux oubliés

Les fiers montagnards
Ont tenu pendant des siècles,
Accrochés à leurs rochers.
Une tornade est passée,
Il ne reste que quelques vieux
Hagards et oubliés.

COMME JE ME SUIS RÉVEILLÉ TÔT, je suis sur mon vélo dès 8 h 30, après des salutations chaleureuses avec la patronne qui m'a offert gâteaux et café. J'ai à peine le temps de réaliser que je suis sur mon vélo que le virage annonçant la montée se présente.

Un rapide coup d'œil m'apprend que ça grimpe sec. La route pénètre sans transition dans la zone de garrigue où paissent les moutons et je fais face à un véritable barrage canin. À gauche, deux énormes chiens noirs, et à droite deux plus petits, bruns ceux-là. Il semble que la longueur de laisse de tous ces gardiens me tienne hors d'atteinte de leurs crocs. Mais je me tiens sur mes gardes : ce n'est pas l'endroit pour perdre l'équilibre.

Après une montée de deux cents mètres, j'imaginais atteindre un plateau, mais non : je dois redescendre jusqu'à une vallée. La descente est longue et je n'en profite pas vraiment, car je sais que je devrai remonter tout ce beau relief. Arrivé en bas, j'aperçois un panneau annonçant un village. Je roule, mais il n'y a rien, pas une habitation, pas une ruine. Puis un autre panneau annonce la fin du hameau. En fait, cette petite vallée est complètement déserte et j'ai le sentiment de traverser un village fantôme.

La route suit de plus ou moins loin un torrent bordé d'arbres énormes, ce qui est exceptionnel en Crète. Petit à petit, la vallée rétrécit. La hauteur des falaises et des arbres ainsi que l'heure matinale me permettent de rouler à l'ombre. L'air est frais et c'est agréable, car je monte sans cesse. Après une heure de montée, je croise finalement un petit hameau. Un café est ouvert et il fait également office d'épicerie rudimentaire. Une vieille dame qui s'appuie sur une canne ainsi qu'un homme du même âge, probablement son mari, tiennent boutique. Je commande un café et l'homme vient également s'asseoir sur la terrasse vétuste. Il est volubile et persévérant, car il ne parle que le grec, dont je possède quelques notions rudimentaires. Il me demande d'abord d'où je viens :

– « *English ?* »

– « *Oshi Canada. Canada Galika !* » (Non, Canada. Canada français !)

– « *Ah ! Canada krio ?* » (Ah ! Canada froid ?)

C'est la réaction habituelle des Crétois quand ils apprennent mon origine.

– « *Né pola krio.* » (Si, très froid.)

Puis il me demande comment il se fait que je voyage seul. Ai-je une femme, des enfants ?

Je lui explique que ma femme doit travailler et que mon fils est grand et autonome, enfin presque... Lui-même a quatre enfants et ils vivent tous à Chania, le chef-lieu du coin. Puis, je lui demande combien de gens vivent ici. Je m'attendais à un chiffre, mais c'est plutôt un long et lourd *liiiigo* (peu) qui sort de sa bouche et il baisse tristement les yeux.

Sans l'avoir vraiment voulu, j'ai touché le cœur du drame de ces pauvres gens abandonnés dans leur coin de pays. Ils sont les derniers d'une longue lignée de paysans obstinés. Le lourd silence omniprésent depuis que je roule dans cette vallée prend alors un tout autre sens : c'est tout un univers qui est en train de disparaître. Je garde le silence un long moment, comme si je voulais leur transmettre mon empathie. Puis, un peu mal à l'aise, je me lève lentement, règle l'addition et enfourche ma monture complètement étrangère à cet univers.

À la sortie du hameau, une femme fait brûler des branches directement sur la route. Elle me sort de ma torpeur et me fait signe d'arrêter. Elle me demande si je peux l'aider à mettre dans le feu une grosse branche qu'elle ne peut soulever. Ce que je fais avec grand plaisir, comme pour racheter mon intrusion dans cet univers. Il n'y a probablement plus d'hommes pour lui donner un coup de main : il faut en profiter quand il en passe un !

Je reprends la route qui monte lentement, mais sûrement. Je réalise que je n'ai plus l'entrain du début du voyage. Finalement, la solitude de mon couple de tout à l'heure me ramène à la mienne. Voyager seul a ses limites et je commence à les sentir.

N'avoir personne avec qui partager toutes ces impressions gâche un peu mon plaisir. Manger et dormir seul devient un peu fastidieux à la longue. Ceux qui n'arrivent pas à composer avec les autres et fuient dans l'isolement peuvent bien finir par dépérir.

La route monte et monte encore, pour finalement atteindre la zone alpine. Encore là, un barrage de chiens où je profite d'un moment d'inattention de leur part pour traverser.

L'arrivée au sommet est appréciée. Je roule depuis 8 h 30 et il est presque midi. J'ai monté tout ce temps, plus de huit cents mètres de dénivelé ! Du haut du col, on a une belle vue de la prochaine vallée où oliviers et vignes ont été plantés avec ordre. Le tout est entouré de montagnes avec, en toile de fond, le massif enneigé. J'amorce la descente qui n'en finit plus. À un moment, j'aperçois à la dernière minute une niche et son habitant, je freine au maximum et mon vélo glisse un peu. Le chien va se cacher dans le fossé. C'est comme ça que je les aime.

Arrivé au creux de la vallée, j'entrevois avec crainte la remontée. D'autant plus que j'ai devant moi, dans la direction ouest où je dois me rendre, un massif vraiment imposant avec une route spectaculaire, en lacets, sculptée dans le roc. Je vérifie auprès d'un berger si c'est bien là que je devrai passer. Ouf : mon chemin ne passe pas par ce massif.

Dans son pick-up, le berger transporte une brebis, un chien placide ainsi que deux contenants de lait bien pleins, fruit de la traite du jour. Il les pose sur une balance, puis les transvase dans un réservoir réfrigéré et muni de brasseurs. J'observe la scène. Le berger est aussi stoïque que son chien.

J'entreprends la remontée qui s'avère raisonnable. Elle zigzague dans une vallée profonde longeant un cours d'eau bien vive. À un certain moment, deux bancs de bois à l'abri d'un grand arbre m'invitent à faire une pause. Sur l'arbre est apposée une affiche annonçant une course cycliste. Étrange, car je n'ai pas vu un vélo depuis des lustres.

Je m'assois et déballe une de ces barres de sésame enrobées de miel que l'on peut acheter dans toutes les petites boutiques de l'île. Je fixe l'affiche et surprise : on y voit la tour du port de Chania et un petit peloton avec en tête un cycliste qui porte le maillot de l'équipe du Québec ! Comme la course avait lieu la fin de semaine précédente, je retire l'affiche avec soin pour la garder. Puis, je me dis que si c'est un gars de l'équipe du Québec qui était en tête du peloton, le niveau ne devait pas être très relevé ! Mais peut-être que le choix du graphiste qui a conçu l'affiche était motivé par des impératifs d'harmonie, les couleurs du drapeau du Québec étant à peu près les mêmes que celles de la Grèce : blanc et bleu.

Je reprends la montée après avoir enfoui ce souvenir dans un de mes sacs. Après avoir basculé vers la descente, je glisse sur une magnifique route en corniche avec vue sur la vallée, puis sur la mer. Toujours aussi peu de circulation et un bon bitume. Au moment où je me dis que je suis un peu fatigué pour vraiment apprécier le paysage, pif, une crevaison. Je change la chambre à air avec peine.

Finalement, c'est l'arrivée à ma destination du jour, Kampos et l'auberge recommandée par le *Guide du Routard* et par le couple de Français du traversier. Après une douche, je m'attable pour mon quatre heures qui est devenu un rituel : une salade grecque qui me permettra de tenir le coup jusqu'au repas du soir, qui est servi vers 21 h. Des tomates, des concombres et des poivrons bien frais au-dessus desquels on a posé des oignons, des olives et une généreuse tranche de fromage feta bien salé. Le tout est abondamment arrosé d'huile d'olive et de vinaigre, et accompagné de pain blanc frais. Cette fois-ci les olives et l'huile d'olive sont particulièrement goûteuses. J'en fais la mention au patron qui me remercie et me dit que son père et lui ont plusieurs oliviers, et que c'est leur production. Miam. Je monte à ma chambre et je tombe raide mort.

Après ma petite sieste, j'entreprends la visite à pied du village. Ce n'est pas bien long, car c'est tout petit. La route est étroite et serpente entre une poignée de maisons. L'inévitable chapelle trône à la sortie. En toile de fond, la Méditerranée vers l'ouest, et les montagnes sur les trois autres côtés.

J'aboutis au *Sunset View*, un café doté d'une terrasse bien orientée vers l'ouest avec une magnifique vue sur la mer et le coucher de soleil qui se prépare. Il n'y a qu'un seul client, un homme barbu âgé d'une cinquantaine d'années qui sirote un verre de vin d'une couleur étrange.

C'est un Néerlandais, il s'appelle Gijst et il vit ici depuis quelques années. Les veinules de son nez indiquent qu'il a son poste régulier en cet endroit.

Nous poursuivons la discussion. Il est ici depuis sept ans et loue une maison pour quatre-vingts euros par mois, électricité incluse. À ce prix, il n'a pas l'eau chaude et ça paraît : il est d'une propreté douteuse. Retraité, il collabore avec un obscur magazine communiste. Il me fait penser à un vieux copain hollandais.

Comme lui, s'il a de la difficulté avec les adultes et a tendance à plutôt s'isoler, il communique facilement avec les enfants. En effet, une jeune fille vient nous voir. Elle est très communicative et manifestement à l'aise avec mon voisin de table. Nous discutons un peu avec elle. Gijst m'apprend que son père a été tué pour une querelle de terrain, une vendetta. Le meurtrier est en prison et attend toujours son procès, plus de deux ans après le fait.

Lors des funérailles, il y avait une douzaine de policiers présents, de crainte que le tout dégénère, car, selon la tradition, un meurtre en appelle un autre. Selon Gijst, il semble que, dans la seule province de Chania, il y ait, en moyenne, un cas de vendetta par mois ! Voilà une tradition qui survit bien au passage du temps.

Généreux, Gijst insiste pour m'offrir la bière que j'ai commandée ainsi qu'un verre de vin maison. Quand je le quitte, il me remercie d'avoir discuté avec lui. Un autre expatrié qui souffre de solitude. Je pense à l'inviter à m'accompagner pour le repas du soir, mais finalement je trouve moins déprimant de manger seul.

Je vais souper à ma pension et je retrouve un peu l'ambiance de la Crète de mes souvenirs : l'éclairage au néon, le feu dans la cheminée, la mémé toute de noir vêtue qui se chauffe à côté et la télévision allumée dans le coin et que personne ne regarde. Aux murs, des photos défraîchies, une vieille mandoline magnifique et un violon crétois.

Au menu, un seul plat : restants d'agneau grillé des Pâques, pommes de terre, feuilles de vigne farcies, verdure sauvage bouillie et probablement cueillie par la mémé. Le tout accompagné de vin maison grisâtre et doux, comme celui du voisin. Pour terminer, le raki offert par le patron. Cela va de soi !

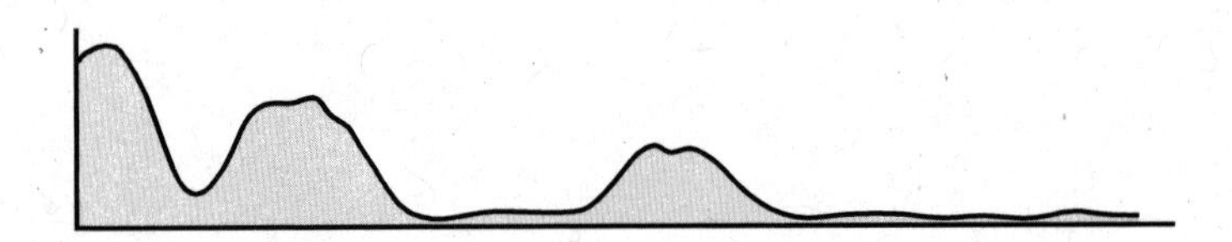

15e journée : de Kampos à Chania ; 70 km, 488 mètres de montée

L'étape finale

De l'huile d'olive
Du citron
On est en Grèce !

J'aurais pu rester à Kampos une journée de plus. L'hôtel était presque gratuit pour la deuxième nuit et il y a une randonnée intéressante à faire dans le coin. Il y a un petit sentier qui descend au fond d'une gorge qui coule vers la mer et débouche sur une plage complètement sauvage bordée par un site archéologique. La totale quoi !

Mais la veille, Gijst le Néerlandais m'avait prévenu que la météo annonçait un temps pluvieux. Comme je devais être à Chania le lendemain pour prendre le traversier et qu'il fait un temps gris et froid, je décide de partir.

Malgré le froid, j'opte pour le cuissard et le maillot de vélo recouvert de ma seule laine mérinos. Je grelotte, mais ça ne dure pas. Une longue montée à l'abri du vent permet de me réchauffer. Arrivé au sommet, je tombe sur mon premier chien qui va se cacher derrière le buisson. Tout de suite après, un magnifique panorama. Dans un grandiose paysage de montagnes rocailleuses et de mer agitée, des rayons du soleil percent les nuages pour illuminer un rocher et les vagues qui vont s'y écraser. Beau jeu de lumière.

Je reprends la route et je réalise tout à coup que c'est ma dernière journée de vélo en pays crétois. Je déguste alors le paysage qui se déploie tout autour de moi. Je glisse dans une longue descente vers la mer. Comme j'ai dormi à trois cents mètres d'altitude, je profite du labeur de la veille.

Je traverse un petit village en bord de mer, assez sympathique et nettement plus vivant que celui où j'ai passé la nuit. À la sortie, un apiculteur a trouvé une façon originale d'annoncer ses produits : un mannequin en habit de protection blanc et brandissant une plaque de miel. Impossible de manquer son kiosque.

Une autre montée et je redescends vers Kissamos qui est situé sur la côte nord de l'île et qui annonce le dernier droit avant l'arrivée finale. La descente se fait en faux plat avec un fort vent de dos. Je roule sans effort à près de cinquante kilomètres à l'heure. Je me sens comme un coureur qui arrive à la fin d'une étape après une longue échappée. Tous les maux et toute la fatigue sont disparus, noyés dans l'euphorie de la victoire.

Toutefois, il reste encore une quarantaine de kilomètres et le paysage est nettement moins intéressant de ce côté-ci de l'île. En plus, je dois franchir un petit col. Il y a, à l'extrémité nord-ouest de l'île, deux grands bras montagneux et déserts qui s'avancent loin dans la mer. C'est dans l'un d'eux qu'a été filmé *Zorba le Grec*. Ces bras doivent se rattacher à la colonne vertébrale de l'île et c'est ce col que je dois franchir. Comme au départ d'Iraklion, on a construit une nouvelle route moderne et j'emprunte la vieille route, qui est déserte et encore en bon état. La montée est longue et je manque d'entrain.

Puis, c'est le dernier plat. Le bitume neuf me fait oublier le décor de tourisme de masse, une sorte de Old Orchard Beach grec pas très attirant. Le vent de dos, l'arrivée imminente, le ciel incertain me donnent des ailes. Les kilomètres filent rapidement, puis j'arrive à Chania.

Avant d'ouvrir ma carte pour trouver la vieille ville, je m'arrête pour soulager ma fringale. Je finis par dénicher un hôtel charmant avec un étroit escalier en colimaçon, tout en vieux bois fraîchement peint en bleu. Les planchers sont également en bois patiné, mais peints en brun, les portes, en vert. Tout brille. J'ai une jolie fenêtre qui donne sur la Méditerranée bien agitée par le vent persistant. Devant moi, une table idéale pour écrire.

Je profite de la douche dont l'eau est très chaude. Ce n'est pas un luxe pour le cycliste qui a transpiré toute la journée.

La vieille ville ceinture le Vieux-Port situé dans une petite baie. On y circule dans des ruelles étroites qui s'entrecroisent et où l'on se perd avec plaisir. Elles sont bordées de boutiques, cafés, restaurants et bars. Quelques autochtones y vivent encore. Touristique, mais charmant.

J'en profite pour acheter quelques souvenirs. Dans une des boutiques, une Montréalaise d'origine grecque me fait goûter le *rakimeli*, du raki avec du miel. Certaines bouteilles sont parfumées. Le *rakimeli* à la cannelle est particulièrement délicieux. Vendu. Elle me suggère également une huile d'olive biologique dont la saveur se détache du lot. De plus, la femme du producteur est une Québécoise. Vendu également. Je suis un bon client.

Je m'arrête dans une autre boutique quelques portes plus loin. Je suis accueilli par un homme assis devant un bureau encombré. Je lui demande s'il parle anglais.

– « *Yes no problem, where are you from ?* »

– « *I'm from Canada, I'm French Canadian.* »

– « *Ah ben tu parles français, moi j'ai resté vingt-trois ans à Laval* », me répond-il avec l'accent québécois de l'immigrant qui a appris le français dans la rue.

– « *Incroyable...* »

– « *Je travaillais au coin de Peel et Notre-Dame, je faisais des souvlakis, pis comment vont Messieurs Lévesque et Drapeau ?* »

– « *Ça fait longtemps que vous êtes partis, car ils sont morts tous les deux et ça fait longtemps.* »

– « *Je suis revenu ici il y a vingt-cinq ans prendre la business de mon cousin. Icitte y'a pas d'hiver comme à Montréal. Moi, j'aimais pas ça l'hiver.* »

Je finis par acheter des foulards crétois et une cloche de moutons qui produit le son qui a ponctué mon parcours dans les hautes montagnes. Je n'aurai qu'à la faire tinter pour me replonger dans l'ambiance de ce voyage.

Je tente de négocier la note, sans succès. Par contre, j'ai droit à un verre de raki avant de partir. Le patron était bien content de jaser avec moi et de mon côté, je me sentais un peu comme de retour au pays.

Pour souper, à la suggestion de la tenancière de l'hôtel, une jolie et pétillante Écossaise, je vais chez *Tammia*. Il y a foule, contrairement aux autres restos que j'ai croisés et qui sont plutôt déserts en cette saison. Je me retrouve assis face à deux vieux Grecs qui commandent des plats traditionnels, les mêmes qu'ils ont dû manger tout au long de leur vie. Tout d'abord, une assiette de fromage et une salade tiède de verdures sauvages.

Je revois alors dans ma tête toutes ces femmes qui cueillent ces feuilles en bordure de route, un sac de plastique à la main, le dos courbé. Puis, je les revois en train de trier méticuleusement le fruit de leur récolte sur la table de leur terrasse.

Cette salade se mange tiède. On y verse de l'huile d'olive et du citron. Le citron est ici omniprésent. Dans les salades, sur les grillades, et aussi sur les œufs au plat. Pour plat principal, mes deux voisins ont choisi des calmars frits et des petites sardines qu'ils vont partager comme c'est la coutume ici. Le jus de citron coule à flots.

Je réalise que ces traditions m'ont marqué et m'ont accompagné depuis mes premiers passages. J'ai gardé certaines habitudes alimentaires, exotiques à l'époque, mais qui font maintenant partie de la vie de nombreux Nordiques, tels l'huile d'olive et le citron. Pendant longtemps, j'ai bu des tisanes de sauge âcres et parfumées. Je mange régulièrement des œufs à la grecque qui baignent dans l'huile d'olive et que j'arrose de citron. Je fais cuire le poulet sur les pommes de terre qui absorbent le gras de cuisson et deviennent ainsi très onctueuses.

La Crète avec sa dichotomie entre ses montagnes rudes, sauvages et ses petits ports chaleureux, ses habitudes de vie à la fois simples et raffinées, fait partie de moi depuis trente ans. Je m'y sens comme un poisson dans l'eau. En fait, c'est plus que ça: ces contrastes me ressemblent un peu!

Après avoir bu la généreuse carafe de raki offerte par le patron, je me dirige, un peu étourdi, vers le port, puis je longe la côte. Il y a tout d'abord la vieille mosquée, abandonnée par les Turcs, où loge une exposition sans intérêt. Puis, de vieux hangars ont été convertis en bars. Ceux-ci attirent les jeunes du coin, contrairement aux établissements du port destinés aux touristes. Contrairement à ce que j'ai vu à Arvi, ces jeunes se baladent en groupes mixtes, garçons et filles mélangés : à l'époque, ce n'était pas envisageable. Ça fait plaisir à voir.

Je reviens vers la vieille ville. Je fais un détour pour voir la synagogue, dernier vestige du petit quartier juif. En voyage, j'ai toujours eu l'habitude de visiter les églises catholiques. Bien que non pratiquant, je m'y sens un peu à la maison et c'est toujours un lieu agréable où l'on peut prendre une certaine distance de l'environnement où l'on se trouve pour se recueillir. J'ai ajouté les visites de synagogues depuis que j'ai une compagne juive, qui soit dit en passant n'a rien d'un petit oiseau fragile, ce qui explique la longévité de notre relation. Dans ces lieux de culte, je m'y sens toujours étranger, mais, malheureusement, chaque synagogue porte une histoire tragique et fascinante.

À Chania, les nazis ont embarqué toute la population juive : 250 personnes environ. Ils n'ont pas eu le temps de les conduire vers les camps d'extermination. Un sous-marin allié a coulé le bateau qui les emportait.

La synagogue fonctionne toujours, mais elle est fermée lors de mon passage. Elle fait face à un resto. Le propriétaire m'aborde gentiment. Il me dit qu'il a ouvert son établissement dans les années qui ont suivi mes anciens voyages.

Je lui raconte que je fréquentais à l'époque un petit bar où les jeunes voyageurs avaient leurs habitudes. Je traînais avec moi une cassette de musique folklorique québécoise, *La Bottine souriante*, que le patron avait accepté de faire jouer dans son bar. Petit à petit toute la clientèle du bar s'était mise à danser, certains sont même montés sur les tables! Au point où le patron avait dû mettre fin à la séance.

Mon interlocuteur, Manolis, rigole bien de cette scène et mû par une soudaine illumination, me dirige vers une boutique de souvenirs qui a remplacé le bistro où, il y a trois décennies, des voyageurs de toutes origines ont dansé une gigue endiablée au son de *La Bottine souriante*!

Lui aussi se remémore cette époque avec nostalgie. Le tourisme ne faisait que commencer et la rencontre entre les jeunes Crétois qui se libéraient du carcan traditionnel et ceux venus d'ailleurs qui découvraient le pays de Zorba créaient une énergie magique.

Nous nous quittons en nous serrant dans nos bras, liés par ce souvenir partagé.

La grande boucle

Finalement,
Comme la terre,
On tourne en rond.

Je rentre à l'hôtel en longeant le port. Le bruissement de l'activité nocturne s'éteint progressivement et cède la place au calme de la Méditerranée sur laquelle ondoie un clair de lune.

Je réalise que j'arrive à la fin de cette aventure dont je rêvais depuis si longtemps. J'ai la grande satisfaction d'avoir réussi ce périple à vélo et d'avoir découvert un parcours exceptionnel. Tout au long de ce voyage, j'ai roulé en ayant des paysages fabuleux sous les yeux. La faible circulation et la bonne qualité du bitume m'ont permis de les contempler et de rêvasser. Le relief m'a offert des défis stimulants, mais réalistes pour ma condition. J'ai finalement parcouru peu de distance, environ sept cents kilomètres, mais j'ai grimpé près de neuf mille mètres, plus que l'Everest ! Ce n'est pas rien pour un quinquagénaire qui n'est pas obsédé par sa condition physique. La civilisation qui m'entourait était sécuritaire tout en étant exotique. Je me sens un peu triste à l'idée de quitter ces paysages et les gens que j'y ai croisés. Une nouvelle couche de souvenirs va dorénavant se superposer aux souvenirs anciens.

En fait, je me rends compte que ce tour de vélo a été plus qu'une boucle sur l'île de Crète. C'était en fait une boucle d'un circuit beaucoup plus long : celui de ma vie d'adulte. Je suis passé ici quand j'avais à peine vingt ans, la tête pleine d'utopies, de rêves et d'espoir. Comme tous les jeunes de toutes les époques, mais à la nôtre la masse des jeunes était si énorme, et si puissante que c'est devenu un rouleau compresseur qui a bouleversé l'Occident. Nous étions enflammés, utopistes et probablement arrogants.

Enfants de ce que l'on a appelé les trente glorieuses, nous pouvions vivre en bohémiens et parcourir le monde, et ce, en travaillant peu. Notre accoutrement étrange – barbe, cheveux longs, jeans et t-shirts usés – devait être un choc pour les Crétois. Mais nous étions aussi l'avenir pour eux. Ces gens oubliés par la modernité nous ont hébergés, nourris et entraînés dans leurs histoires et leur musique. Le tourisme allait les sortir de la misère. La nouveauté de l'expérience, tant pour eux que pour nous, créait une ambiance que l'on n'oublie pas.

La Crète a changé. Le tourisme est devenu la principale activité économique. Les jeunes étrangers vont plus loin, dans des contrées plus exotiques. La force de l'euro fait mal. Crise de maturité. Par contre, les paysages sont aussi beaux et au Sud les villages ont gardé leur dimension humaine. C'est toujours un grand plaisir de s'y assoir sur une terrasse en bord de mer pour boire et manger leur nourriture simple, saine et savoureuse.

Je reviens au début de la cinquantaine et moi aussi j'ai changé. Ma jeunesse est loin et la vieillesse se pointe obstinément à l'horizon. Une bonne partie de ma vie d'adulte s'est écoulée entre ces deux passages et ce retour me ramène finalement à me revoir tel que j'étais à cette époque. Les utopies que j'avais en tête montraient leurs limites. C'est en regardant un documentaire quelques années plus tard, que j'ai réalisé dans quel bateau je m'étais embarqué. Ce documentaire portait sur la création du disque *Sgt. Pepper's Lonely Hearts Club Band* et particulièrement sur l'époque dans laquelle il avait été imaginé. La pression pour sortir des sentiers battus, le *dropping-out*, était très forte et c'est ce que plusieurs d'entre nous avaient fait.

Cependant, la vie en marge, si elle a certains avantages, est dangereuse. L'absence de structure combinée à l'abus de drogue et d'alcool ont conduit plusieurs de mes proches au suicide, à la dépendance ou à des problèmes de santé mentale persistants. C'est un peu de ces éclopés que j'ai retrouvés sur mon passage. Comme si je retrouvais un autre moi qui aurait persisté dans la marginalité.

C'est à mon retour de Crète que j'avais pris la décision de retourner aux études. En quelque sorte de réintégrer le monde normal. J'ai eu la chance d'avoir une bonne formation, mais aussi d'entreprendre une démarche personnelle qui m'a permis de m'arracher au siphon qui m'entraînait vers le fond. Par la suite, sans que j'en aie vraiment fait un choix conscient, l'essentiel de mes activités professionnelles a été lié à l'intégration de personnes exclues : immigrants, jeunes sous-scolarisés et personnes handicapées.

Toutefois, j'aurais pu suivre un tout autre chemin, continuer à fuir la réalité dans des paysages exotiques, devenir comme ces hippies mal vieillis que j'ai croisés sur ma route de vélo. Est-ce mon passage en Crète qui m'a permis de changer de trajectoire ?... et de revisiter ce pays, trente ans plus tard, avec une toute autre perspective, pour me mesurer au relief de ce paysage rude et abrupt, qui nous renvoie à des vérités essentielles ?

Il n'y a pas que la Crète qui ait changé en trois décennies. Moi aussi. Et c'est tant mieux.

Toujours sur mon banc, je réalise que comme le restaurateur de Chania, après de multiples péripéties, je me suis fait une place un peu à l'écart du tumulte des rues principales, mais sans me marginaliser pour autant. Après toutes ces années, ce n'est pas un hasard si je suis resté attaché à ce coin de pays situé loin de mes racines : sa nature sauvage et son relief exigeant combinés à la douceur de la Méditerranée et le bleu cristallin de son ciel me vont comme un gant. La Crète reste vivante dans mon corps et dans mon âme.

C'est le corps allégé de toutes ses tensions habituelles qui se sont dissoutes dans les kilomètres de montées en vélo et la tête pleine de ces réflexions que je me lève pour aller rejoindre Morphée, une dernière fois sur l'île.

Et puis non : un petit dernier raki pour la route !

Yasou !

Quelques informations techniques

Le transport du vélo

Les frais de transport du vélo varient d'une compagnie à l'autre. Air France (que j'ai utilisé pour ce voyage) a une politique de transport gratuit pour les vélos. Air Transat, qui a une liaison directe Montréal-Athènes de mai à octobre, offre également le transport du vélo sans frais. Par contre, Air Canada demande des frais.

Une fois arrivé à l'aéroport, on peut laisser le sac ou la boite de transport directement à la consigne de l'aéroport, mais les coûts sont élevés. Par contre, l'*International Youth Hostel* d'Athènes, situé rue Victor Hugo, a une salle d'entreposage bien verrouillée et j'ai pu y laisser mon sac à vélo pendant toute la période de mon séjour en Crète.

L'aéroport est situé assez près du centre-ville. Au moment où je suis passé, le métro était en construction et ne se rendait pas jusqu'à l'aéroport. Dommage, parce qu'un wagon est prévu pour les gens à vélo et le métro se rend un peu partout en ville et même jusqu'au port du Pirée, l'embarquement pour les îles. J'ai pris une navette d'autobus de la ville, qui est bon marché, et on peut y monter sans problème le sac ou la boite de vélo. Il arrête au carré Syndagma qui est à vingt minutes de marche de l'auberge de jeunesse.

Il n'y a aucun problème et aucuns frais pour mettre le vélo sur le traversier. Toutefois, il est prudent de prévoir un cadenas pour le verrouiller. Il y a une soute à bagages et on peut y laisser les sacs qu'on ne veut pas monter sur le pont. Le traversier offre des billets de ponts pas chers (30 euros) et des cabines tout confort.

Athènes

Athènes est une véritable ville antique : on y fume partout et il n'y a pas de pistes cyclables. À part la visite incontournable de l'Acropole, je gardais un mauvais souvenir de ce passage obligé pour visiter les Îles et les autres régions de la Grèce. Cette fois-ci, je voulais ajuster mon vélo et vérifier si le voyage n'avait pas causé de dommage. Je me suis donc aventuré sur les boulevards du centre-ville. Assez risqué merci.

Par contre, je me suis rendu à la Plaka, un quartier situé au pied de l'Acropole. Belle surprise, tout le tour de la montagne sur laquelle trône l'Acropole est une zone piétonne où l'on peut s'y balader agréablement en vélo.

Le soir, j'ai parcouru à pied le quartier autour de l'auberge de jeunesse qui s'avère agréable. J'ai également visité le Musée national archéologique d'Athènes, un autre incontournable, mais un peu décevant : les grands chefs-d'œuvre de l'Art grec ont pris le chemin des musées des grandes puissances coloniales.

Je me suis rendu en vélo au port du Pirée pour prendre le traversier. La distance n'est pas grande, mais la route est très fréquentée et pas très agréable en vélo. Au retour, j'ai pris le métro avec mon vélo. Rapide et pas cher.

Le vélo et ses équipements

Je voyage avec un vélo de type cyclosportif, un Argon 18 Radon, dont le cadre est en aluminium avec des fourches en carbone. J'ai trois plateaux à l'avant et je tirais un 32 x 27 qui s'est avéré parfait pour le relief exigeant et les bagages même si je voyage avec un minimum pour être en mesure de parcourir de bonnes distances. Un sac arrière, sans poche sur le côté, un sac de guidon et un sac de taille dans lequel je mets les objets précieux : passeport, appareil photo et ordinateur.

Les bagages

Moins on a de bagages, plus il faut réfléchir au contenu afin de ne manquer de rien. J'avais déjà expérimenté ce type de voyage quelques années auparavant et à la lumière de cette expérience, voici ce que j'ai apporté :

VÊTEMENTS : 1 cuissard, 2 maillots de vélo, 1 imperméable, 1 pantalon de pluie, des couvre-chaussures de vélo, un haut de sous-vêtement en laine de mérinos, un pantalon convertible en short, une chemise à manches courtes, des chaussettes et des sous-vêtements. Le tout en tissus synthétiques qui sèchent rapidement. Vers la fin, s'y est ajouté le t-shirt souvenir.

ACCESSOIRES DE VÉLO : 3 chambres à air, un kit de rustines, un câble de vitesse et un câble de frein, un outil tout usage, de l'huile à chaîne, une pompe, trois gourdes, un cadenas en U.

AUTRES: un mini-ordinateur, un GPS, un appareil photo, un chargeur universel de batteries, une lampe frontale, un petit matelas de sol autogonflant, une couverture de survie, le *Guide du Routard Crète*, un stylo, mes cartes professionnelles, une bonne carte de la Crète, quelques barres tendres, un canif, de la crème solaire, des Advil, des anti-inflammatoires et des Robaxacet, du beurre de karité, rasoir, mousse à raser, brosse à dents et pâte dentifrice et bien entendu la soie dentaire !

Malgré tout, certains trucs ont été inutiles : le matelas de sol et la couverture de survie, en cas de pépin même si la circulation est clairsemée, il y a beaucoup de petites fourgonnettes (pick-up) qui peuvent dépanner le cycliste mal pris et sa monture. Les couvre-chaussures de vélo, également, il ne pleut pas beaucoup. Le pantalon de pluie ne m'a servi que deux fois, et ce, pour peu de temps. Par contre, plutôt que deux maillots j'aurais apprécié un deuxième cuissard, car il s'avère assez long à sécher quand il ne fait pas beau. Un petit coupe-vent aurait également été apprécié, car en altitude l'air est frais.

Par contre, le mérinos m'a été très utile. Il a servi de sous-vêtement, de pyjama, et aussi de chandail pour les descentes froides. Le beurre de karité m'a sauvé la vie, car, au début du voyage, mes fesses manquaient d'entraînement. Puis il a soulagé les coups de soleil. L'ordinateur a été très pratique pour écrire des notes. J'y ai également mis deux livres de lecture que j'ai appréciés au début du voyage quand le décalage horaire me tenait réveillé la nuit. Par après, je n'avais pas le temps de lire, car je tombais de fatigue le soir. En ce qui concerne Internet, le wi-fi existe à certains endroits, mais c'est encore marginal et parfois très lent. Par contre, il y a des cafés Internet un peu partout.

En ce qui concerne l'équipement de vélo, j'ai fait quatre crevaisons, il y a souvent du verre brisé sur le bord des routes. J'aurais aimé avoir le petit adaptateur qui permet de gonfler ses pneus sur les pompes pour auto dans les stations-service. J'ai remarqué qu'elles ont en général un bon indicateur de pression.

Les barres tendres sont inutiles : on trouve dans toutes les petites boutiques de délicieuses barres de noix et de graines de sésame enrobées de miel. En cas de baisse d'énergie, il y a aussi le café grec disponible partout pour se donner un coup de fouet !

Pièces et service de réparations

En ce qui concerne les possibilités de réparations pour le vélo. J'ai vu une boutique à Chania de vélos sportifs et il paraît qu'il y en a une autre à Rethymnon qui est très bien. Par contre, sur la côte sud, rien.

Quand y aller?

Les mois de mai, juin, septembre et octobre sont préférables. En été, il fait trop chaud et en hiver il fait froid et il y a même des risques de neige en altitude. Au printemps, on profitera des fleurs, de la verdure. L'eau de la Méditerranée sera froide et vivifiante et les sommets enneigés. Par contre en automne, on profitera des récoltes de fruits, de l'eau chaude pour se baigner et de l'été précédent pour s'entraîner !

Hébergement

Myrtos : *Hôtel Paradise* – 28-42-05 15-54

Lendas : *Nikis rent room* – 28-92-09-52-46

Agios Nikolaos : *Hariklia Hotel* – 28-32-09-12-57

Plakias : Auberge de jeunesse [www.yhplakias.com]

Palaiokhora : *Anonymous Homestay* – 28-23-04-13-73

Kampos : *Hotel Leftéris Hartzoulakis* – 28-22-04-14-45

Chania : *Nora pension* – 28-21-07-22-65

Le parcours

Il y a deux services quotidiens de traversier depuis Le Pirée. L'un va à Iraklion et l'autre à Chania. Comme je voulais me concentrer sur la côte sud, plus typique et montagneuse, j'ai choisi d'arriver à Iraklion et de repartir par Chania. Entre Palaiokhora et Chora Sfakion, il n'y a pas de route, mais un service quotidien de traversier qui permet de contempler la côte qui est spectaculaire.

Les calepins des aventuriers

Récit de voyage

16 pays, 3 mois, 1 sou – Billy Rioux

Beurre de yak et yeux bridés – Annick St-Pierre

Compostelle, le chemin de la sérénité – André Raymond

De Terre-Neuve à la Terre de Feu – Jadrino Huot

En route vers l'Alaska – Billy Rioux

Globe-trotter perdu sur Terre – Jadrino Huot

La Floride insolite – Lucie-Soleil Ouellet et James McInnes

La France au bout des pieds – Monique Fortier

La ruée vers l'or du Klondike – Billy Rioux

Notre grande ViRée – Lucie-Soleil Ouellet et James McInnes

Mali, terre des hommes – Éric Bertrand

Mes errances – Daniel Vigneau

Rouler au cœur du monde – René Ouellet

Sur l'autre Chemin – Daniel Vigneau

Tableaux du monde – Sonia Mondor et Pierre Séguin

Un monde de différences – Stéphane Boyer

Vélo blues – Daniel Berthiaume

Voyages hors du temps – Jacques Bourbeau

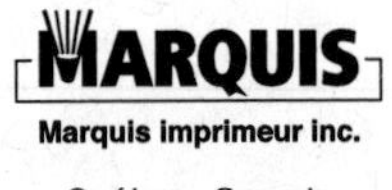

Marquis imprimeur inc.

Québec, Canada
2011

Imprimé sur du papier Silva Enviro 100% postconsommation
traité sans chlore, accrédité Éco-Logo et fait à partir de biogaz.